John Madison wohnte sein Leben lang in Oklahoma City, bis er aufs College ging. Dort fing er an, Elektrotechnik zu studieren und schlechte Note zu schreiben. Er beschloss, Deutschkurse zu belegen, um seinen Notendurchschnitt zu verbessern und sein Stipendium zu behalten. Denn er wollte seinen lang gehegten Traum, eines Tages etwas mehr als das Existenzminimum zu verdienen, realisieren. Irgendwann machte er ein Praktikum in Hamburg. Anschließend verbrachte er ein Jahr als Austauschstudent in München. Nach seinem Studium nahm er einen Job bei einer deutschen Firma in South Carolina an, die ihn für einige Zeit nach Reutlingen und ins beliebte Salzgitter schickte. Dann kündigte er seine Stelle, um in den Ruhestand zu gehen. Sieben Monate später hatte er kein Geld mehr – und nun hat er einen Job in Texas.

JOHN MADISON

NOTHING FOR UNGOOD

Deutsche Seltsamkeiten
aus Amerikanischer Perpektive

Aus dem amerikanischen Englisch von
Petra Trinkaus

BASTEI
LÜBBE
TASCHENBUCH

BASTEI LÜBBE TASCHENBUCH
Band 60623

1. Auflage: November 2009
2. + 3. Auflage: Dezember 2009
4. Auflage: Februar 2010
5. Auflage: Juni 2010

Bastei Lübbe Taschenbuch in der Bastei Lübbe GmbH & Co. KG

Originalausgabe
Copyright © 2009 by Bastei Lübbe GmbH & Co. KG,
Köln
Lektorat: Daniela Jarzynka
Umschlaggestaltung: Kirstin Osenau
Titelbild: © iStockphoto/ kycstudio
Autorenfoto: © privat
Gesetzt aus der Rockwell
Druck und Verarbeitung: CPI – Ebner & Spiegel, Ulm
Printed in Germany
ISBN 978-3-404-60623-8

Sie finden uns im Internet unter
www. luebbe.de
Bitte beachten Sie auch: www.lesejury.de

Der Preis dieses Bandes versteht sich einschließlich
der gesetzlichen Mehrwertsteuer.

Für Bettina

INHALTSVERZEICHNIS

EINLEITUNG

Für Millionen von uns Amerikanern beginnt der Weg der Erkenntnis über den Rest der Welt in Deutschland, dem Land, in dem viele von uns ihre Wurzeln vermuten. Zwar kommt uns irgendetwas an Deutschland sehr vertraut vor, beim tatsächlichen Betreten des Landes zeigt sich jedoch, dass es etwas an sich hat, das es seltsam und fremd wirken lässt. Dieses Etwas – das stellt sich bei näherer Betrachtung heraus – sind die Deutschen.

Fast neun Prozent meines Lebens habe ich dem Fühlen, Sehen, Hören, Schmecken und Riechen dieses Landes und seiner Menschen gewidmet, um eines Tages darüber schreiben zu können.

Ich habe nicht nur mehr als vier deutsche Bundesländer bereist, sondern auch mein Erwachsenenleben in fünf verschiedenen Bundesstaaten unseres eigenen herrlichen Landes verbracht, was mich zum versiertesten Experten der Welt in Bezug auf kulturelle Unterschiede zwischen Amerikanern und Deutschen macht.

Meine Essays sind also ein wertvoller Quell der Erkenntnis.

Viel Spaß beim Lesen!

I

SPRACHE

Der Schlüssel zum Verständnis einer Kultur ist die Fähigkeit, die jeweilige Sprache zu sprechen. Schließlich ist sie das Fenster zur Seele einer Gesellschaft. Ohne Kenntnis seiner Muttersprache gelangt man zu einem bestenfalls oberflächlichen Verständnis für ein Volk. Integration in eine Gesellschaft ist der einzig mögliche Weg, die Funktionsweise, die gemeinsamen Hoffnungen und Träume, ja, die grundlegenden Gefühle ihrer Mitglieder zu begreifen, und die Integration kann erst beginnen, wenn man die Sprache der Menschen beherrscht.

Wer die Deutschen verstehen will, muss ihren Umgang mit Sprache verstehen.

Und der ist ganz schön anstrengend …

Ein klares Nein zur deutschen Sprache

In Deutschland zu leben ist toll, und ich kann es jedem nur empfehlen. Deutsch zu sprechen hingegen ist grässlich und sollte um jeden Preis vermieden werden. Tatsächlich warnte Mark Twain bereits 1880 in seinem Aufsatz *The Awful German Language/Die schreckliche deutsche Sprache*, uns nicht mit dieser Sprache abzugeben.

Es gibt unzählige Gründe, Deutsch nicht zu lernen:

1. Die deutsche Sprache ist im Grunde genommen gar nicht mehr erlernbar, wenn man nicht schon als Baby damit angefangen hat. Wenn man es später einmal versucht, besitzt das menschliche Gehirn mit hoher Wahrscheinlichkeit einfach nicht die nötige Kapazität, um so viele sinnlose Einzelheiten zu lernen, zum Beispiel die verschiedenen Formen des Wörtchens *the*.

   Im Deutschen gibt es nämlich gleich drei verschiedene Genera oder grammatikalische Geschlechter: *der*, *die* und *das*. Zunächst einmal muss man sich also für jedes einzelne Substantiv, das es gibt, das Geschlecht merken. (Es gibt zwar einige Regeln, um das Geschlecht zu bestimmen, aber für jede Regel gibt es ebenso viele Ausnahmen wie passende Bei-

spiele, sodass man sich trotzdem für jedes einzelne Wort das Geschlecht merken muss.) Außerdem muss man noch den Artikel verändern, je nachdem, in welchem Fall das Substantiv gerade steht.
Schauen wir mal, wie das im Deutschen aussieht:

Nominativ	der	die	das	die (Plural)
Genitiv	des	der	des	der
Dativ	dem	der	dem	den
Akkusativ	den	die	das	die

Und jetzt sehen wir uns diese Tabelle für das Englische an:

Nominativ	the	the	the	the (Plural)
Genitiv	the	the	the	the
Dativ	the	the	the	the
Akkusativ	the	the	the	the

Ganz im Ernst: Will man wirklich eine Sprache lernen, in der es sechzehn (!) verschiedene Möglichkeiten gibt, *the* zu sagen? Und damit nicht genug: Es gibt auch noch sechzehn (!) Möglichkeiten, *a* zu sagen (im Englischen: zwei), und zweiunddreißig (!!!) unterschiedliche Adjektivendungen (im Englischen: keine einzige).

Und all das muss ein Nicht-Muttersprachler in Rekordzeit im Kopf beachten, während er ein Gespräch zu führen versucht. Vergessen Sie's.

Im Englischen hängen wir, wenn etwas im Plural steht, einfach ein s an. Im Deutschen hängt man ein *s* an, ein *e*, zwei Pünktchen irgendwo in der Mitte, ein *er* oder *en*, oder man tut einfach gar nichts, und das Wort wird zum Plural. Allerdings muss man aufpassen, welchen Fall man gerade verwendet, denn falls man den Dativ benutzt, ändert sich die Pluralform schon wieder.

Bei jedem Verb, das man lernt, muss man wissen, wie man es für *ich, du, er, sie, es, wir, ihr* und *sie* konjugiert. Natürlich gibt es zusätzlich noch ein paar Zeiten, die gepaukt werden müssen: Präsens, Imperfekt, Perfekt, Plusquamperfekt, Futur und Konjunktiv. Ach ja, und ein Konjunktivfall ist den Deutschen nicht genug. Die Deutschen brauchen zwei Konjunktivfälle, weil sie es für nötig befinden, Hörensagen grammatikalisch auszudrücken.

All das kann man eigentlich niemals lernen, also braucht man es erst gar nicht zu versuchen.

2. Egal, wie gut das Deutsch eines Amerikaners nach jahrzehntelanger Übung auch einmal sein wird – die meisten Deutschen werden immer sehr viel besser englisch sprechen, als die Amerikaner deutsch sprechen.

   Aus diesem Grund überlassen wir lieber den Deutschen die Arbeit, *unsere* Sprache zu lernen, denn das müssen sie sowieso machen, um mit dem Rest der Welt zu reden. Und schon die Briten sind darauf gekommen, dass man problemlos in Deutschland leben kann, ohne auch nur ein Wort Deutsch zu sprechen.

3. Am Arbeitsplatz kann man als Amerikaner mangelnde Deutschkenntnisse zu seinem Vorteil nutzen. Bei jedem professionellen Job in Deutschland gehört Eng-

lisch zu den Grundanforderungen. Daraus folgt, dass jeder in Deutschland arbeitende Profi, der nicht fließend englisch spricht, entweder beim Einstellungsgespräch gelogen hat und/oder inkompetent ist. Diese Leute zum Englischsprechen zu zwingen verschafft einen unfairen Verhandlungsvorsprung. Versucht man dagegen, auf Deutsch zu verhandeln, befindet man sich in genau der entgegengesetzten Situation; deswegen sollte man erst gar nicht genug Deutsch lernen, um sich so in die Bredouille zu bringen.

Außerdem macht es Geschäftsbesprechungen unterhaltsamer. Wenn man nämlich als Amerikaner bei einer Besprechung aufkreuzt und sagt, dass man kein Deutsch kann, wird die Besprechung dem Gast zuliebe auf Englisch abgehalten. Dadurch verlangsamt sich das Tempo der Besprechung zwar beträchtlich, da man auf diese Weise einen Großteil der Leute zwingt, eine Fremdsprache zu sprechen. Aber die Deutschen lieben Diskussionen so sehr, dass sie sich trotzdem alle Zeit der Welt für die Besprechung nehmen. Das kann wiederum sehr gut zur eigenen Unterhaltung genutzt werden, denn es ist wirklich amüsant zuzuhören, wie Leute, die sich eigentlich einig sind, miteinander streiten. Denn da die Deutschen bei der Besprechung so mit der Überlegung beschäftigt sind, wie sie das, was sie als Nächstes sagen wollen, auf Englisch sagen sollen, können sie sich nicht darauf konzentrieren, was der andere sagt. Und das führt regelmäßig zu einem hitzigen Streit – selbst wenn die Teilnehmer völlig einer Meinung sind. Zu diesem Zeitpunkt sollte man als Gast Folgendes tun: sich zurücklehnen, ausgezeichneten europäischen Kaffee trinken, Kekse essen und genießen – denn so bald kommt er ohnehin nicht nach Hause.

4. Ein Amerikaner wird *niemals* lernen, *ö* oder *ü* richtig auszusprechen.

5. Die Deutschen werden ihre Rechtschreibung ändern, sobald man sie gelernt hat. Bis man den Unterschied zwischen *das* und *daß* gelernt hat, gibt es kein *daß* mehr, und stattdessen denken sich die Deutschen Wörter wie *Schifffffahrt* aus.

6. Tokio Hotel nehmen englische Versionen ihrer Songs auf; also braucht man sich auch deswegen keine Gedanken zu machen.

Die Deutschen machen sich über Amerikaner lustig, wenn sie etwas zu sagen versuchen

Trotz der Warnung, das Deutschlernen gar nicht erst zu versuchen, reizt es manche Wagemutigen vielleicht trotzdem, es zu probieren. In diesem Fall wird man rasch einen weiteren Grund entdecken, diese grässliche Sprache nicht zu lernen: Die Deutschen machen sich über Amerikaner lustig, wenn sie etwas zu sagen versuchen[1].

Englisch ist leicht auszusprechen. Deutsch nicht. Wir Amerikaner machen keine Pünktchen über unsere Buchstaben und schreiben komische *B*-Formen und geben sie als Doppel-*s* aus.

Die Deutschen wissen, dass ihre Sprache voll von Lauten ist, die Ausländer nicht aussprechen können. Deshalb versuchen sie, uns dazu zu bringen, bestimmte Wörter zu sagen, damit sie sich dann über unsere wackligen Sprachkenntnisse lustig machen können.

---

[1] Hier liegt ein Missverständnis vor: Im Gegensatz zu den Amerikanern, die es entweder gar nicht mitbekommen oder nicht verstehen, und zu den Franzosen, die dem mit unverhohlenem Abscheu begegnen, finden Deutsche Menschen, die Deutsch mit ausländischem Akzent sprechen, absolut entzückend – daher der Erfolg von Showgrößen wie Chris Howland oder Rudi Carrell – und geradezu unwiderstehlich sexy. Der Gipfel der Ekstase ist ein Franzose, der sich an *Streichholzschächtelchen* versucht. Nur Mut, Mr. Madison: Die Deutschen finden Sie nicht doof, sondern süß. d.Ü.

Dazu gehören unter anderem folgende Wörter:

- *Eichhörnchen* – das ist die klassische Wortstolperfalle.
- *Oachkatzlschwoaf* – der Schweif des bayrischen Vetters von Obigem.
- *Streichholzschächtelchen* – das ultimativ unaussprechliche deutsche Wort.

Aber so ziemlich jedes Wort, das mit einem *r* beginnt, wie etwa *rechts*, ist für uns aus physischen Gründen unaussprechlich. Ich persönlich meide solche Wörter.

Falls man sich trotz der bereits angeführten ausführlichen Warnungen dennoch entschließt, Deutsch zu sprechen, muss man sich mit Deutschen abgeben, die einen dazu bringen, eins dieser fürchterlichen Wörter zu sagen, oder die alles wiederholen, was man sagt, aber in korrektem Deutsch und *sehr langsam* (!), oder die – schlimmer noch – auf Partys in einem falschen amerikanischen Akzent mit einem reden.

Die Deutschen reden immer Klartext

Die Kommunikation zwischen Amerikanern und Deutschen kann sehr schwierig sein, weil wir unterschiedliche Erwartungen an die Sprache haben.

In Amerika versuchen wir, alles nett zu verpacken und auf möglichst höfliche Art indirekt zu sagen, was wir sagen wollen. Wir lernen bereits als Kinder, gar nichts zu sagen, wenn wir nichts Nettes zu sagen haben. Deshalb müssen wir negative Dinge auf positive Art ausdrücken. Das bedeutet auch, dass der Zuhörer überlegen und den tatsächlichen Inhalt der Aussage herausfinden muss.

Die Deutschen genießen den Luxus, alles für bare Münze nehmen zu können, denn sie sagen genau das, was sie meinen.

Da die Deutschen alles, was wir Amerikaner sagen, infolgedessen wörtlich nehmen, gibt es in transatlantischen Angelegenheiten häufig Verwirrung.

Dazu eine kleine Anekdote von einem Bekannten, nennen wir ihn »Jon«. Jon ist gerade von Amerika nach Deutschland gezogen, und durch die Klimaveränderung hat er einen schlimmen Fall von *dandruff* bekommen. Jons Deutsch ist ziemlich gut, aber jenes Thema tauchte im Deutschunterricht nie auf. Also greift er zu seinem verlässlichen deutsch-englischen Wörterbuch und entdeckt, dass das deutsche Wort für *dandruff* offensichtlich *Schuppen* ist. Bewaffnet mit seinem neuen Vokabular marschiert Jon in die Drogerie und fragt die Verkäuferin, ob sie Shampoo *für* Schuppen habe, und kassiert einen starren Blick, als habe er völlig den Verstand verloren. Darauf antwortet sie: »Nein, wir haben nur Shampoo *gegen* Schuppen.«

Ach sooo …

Die Deutschen lernen absichtlich das falsche Englisch

Sprachen sind etwas sehr Willkürliches. Was Sprachen angeht, gibt es keine Absolutheiten. Nichts ist in Stein gemeißelt, und alle Versuche, Regeln festzulegen, die zum Sprachgebrauch der Leute passen, sind zum Scheitern verurteilt.

Sprachstandards werden geschaffen, indem man irgendwann den Dialekt einer Region zur offiziellen Version der Sprache erklärt. Anschließend werden die Sprachregeln kontinuierlich modifiziert, um sich den Sprachmustern der Sprecher anzupassen. In der Sprache gibt es kein Richtig und Falsch.

Die Vereinigten Staaten und Großbritannien werden oft als zwei Staaten bezeichnet, die eine gemeinsame Sprache trennt. Ausländer, die Englisch lernen, haben somit zwei Möglichkeiten: britisches oder amerikanisches Englisch zu lernen. Es gibt zwar keine linguistisch richtige Sprache, wohl aber eine richtige Wahl – und die Deutschen treffen stets die falsche Entscheidung.

Vom rein unparteiischen Standpunkt aus betrachtet sollten die Deutschen in der Schule aus einer Vielzahl von Gründen amerikanisches Englisch lernen.

Wenn ein Deutscher sich die unsynchronisierte Originalversion eines Films ansieht, werden in diesem Film in neun von zehn Fällen Schauspieler mit amerikanischem Akzent spielen, und das Gleiche gilt fürs Fernsehen. Es ergibt einfach keinen Sinn, sich einen Highschool-Film anzusehen und dann über die ausstehenden *A-Levels* zu sprechen.

Die Wahrscheinlichkeit, dass ein Deutscher mit einem Amerikaner in Berührung kommt, ist fünfmal so hoch wie die, dass er einen Briten trifft.

2006 betrug das Bruttoinlandsprodukt von Großbritannien 1,93 Milliarden Dollar. Eine lächerliche Summe, verglichen mit den 13,13 Milliarden der Vereinigten Staaten. Ein Deutscher wird sehr viel eher Geschäfte mit einer amerikanischen als mit einer britischen Firma machen.

Ein Tourist in Deutschland kommt sehr viel eher aus den Vereinigten Staaten als aus Großbritannien. Man sollte zwar glauben, dass die Nähe zu Großbritannien den britischen Tourismus in Deutschland fördert, aber auch die Briten wollen ihren Urlaub in einer sonnigen Gegend wie Portugal verbringen. Außerdem haben sie zu Hause selbst genug altes Zeug zu besichtigen.

Wenn ein Deutscher lange verloren geglaubte Verwandte besucht, deren Vorfahren in ein englischsprachiges Land auswanderten, oder von ihnen besucht wird, dann werden diese Verwandten mit an Sicherheit grenzender Wahrscheinlichkeit einen amerikanischen Dialekt haben.

Es klingt zwar nach einer guten Idee, eine Sprache möglichst nah bei ihren Wurzeln zu studieren. Aber dann würden die Deutschen nur Deutsch lernen, obwohl sie doch eigentlich Englisch lernen wollen, und das ergibt keinen Sinn. Deshalb lernen die Deutschen stattdessen etwas, das sie als »Oxford-Englisch« bezeichnen – als wäre Tolkien der einzig wahre Sprecher des Englischen!

Theoretisch ist es kein Fehler, Englands Version des Englischen zu lernen – wie es auch kein Fehler ist, die schweizerische Sprache Rätoromanisch zu lernen. Das kann man machen, es ist nur einfach kein lohnendes Unterfangen. Dass Englisch Weltsprache ist, liegt an Amerika, nicht an England. Es ist also nur sinnvoll, die amerikanische Variante zu lernen.

In Deutschland bekommen die Schüler schlechte Noten, wenn sie mit amerikanischem Akzent sprechen oder die amerikanische Schreibweise benutzen, falls sie sie sich während eines Highschool-Jahres in den Staaten angeeignet haben. Meiner Meinung nach sollten sie stattdessen lieber Bonuspunkte bekommen, weil sie die grundlegende Verständigungsform einer wirtschaftlichen und kulturellen Supermacht beherrschen. Micky Maus spricht nicht mit britischem Akzent.

Jeder Deutsche, der dieses Kapitel liest, wird mir heftig widersprechen. Aber während er liest, leert er vielleicht gerade eine Tüte *chips*, nicht *crisps*.

Neue Wörter erraten

Ganz gleich, wie sehr man sich abmüht, eine neue Sprache zu lernen – es wird immer wieder Wörter geben, die einem noch nicht untergekommen sind, die man aber im Gespräch verwenden möchte. Das stellt ausländische Sprecher des Englischen vor ein Problem, da wir für alles brandneue Wörter erfinden. Aber falls die fragliche Fremdsprache Deutsch ist, wird das Problem dadurch erleichtert, dass die deutsche Sprache aus nur wenigen Wörtern besteht, die in verschiedenen Kombinationen zusammengekoppelt werden, um eine bestimmte Bedeutung zu ergeben.

Vielleicht liegt es am Wetterwechsel oder am Stress, das Leben in einer anderen Kultur zu lernen: Plötzlich bekommt man ein *cold sore*, einen Bläschenausschlag. Statt nach Hause zu gehen und sich das deutsch-englische Wörterbuch zu greifen und den neuen Begriff nachzuschlagen, denkt man einfach kurz nach, und schon bald weiß man, worunter man leidet: *Lippenherpes*.

Wenn man ohnehin schon in der Apotheke ist, will man vielleicht gleich etwas für die *sinuses* mitnehmen. Keinen Plan vom deutschen Wort? Macht nichts. *Sinuses* sind doch eine Art Höhlen neben der Nase. Ahhh, *Nasennebenhöhlen*. Klar. Kein Problem.

Das Wort *aerola* taucht in Alltagsgesprächen nur selten auf, deshalb kennen Ausländer wahrscheinlich auch nicht das deutsche Wort dafür. Dessen Ableitung ist aber ganz einfach. Einfach mal nachdenken, was das ist: die Stelle an der Brust, wo eine Brustwarze hingehört, eine Art Vorgarten für eine Brustwarze. That's it! *Brustwarzenvorhof.*

Hier eine Tabelle, die helfen soll, das Prinzip von zu Spezialvokabular zusammengesetzten Grundbegriffen zu begreifen:

Englisches Wort	Englische Zusammensetzung	Deutscher Begriff
Diarrhea	Fall through	Durchfall
Nostrils	Nose holes	Nasenlöcher
Oesophagus	Food pipe	Speiseröhre
Trachea	Air pipe	Luftröhre
Jaundice	Addicted to being yellow	Gelbsucht
Concussion	Brain shake up	Gehirnerschütterung
Rabies	Awesome mad	Tollwut

Obwohl das Deutschlernen nicht empfehlenswert ist, da es einem keine finanziellen Vorteile verschafft und somit kein lohnenswertes Unterfangen ist, werden diejenigen, die es dennoch versuchen, von diesem einen der beiden einzigen positiven Aspekte der deutschen Sprache profitieren. (Der andere ist, dass die Deutschen schreiben, wie sie sprechen, und das ist recht praktisch.)

Die Deutschen halten ihr Englisch für besser, als es ist

Zunächst einmal handelt es sich natürlich um einen typischen Fall von Steinewerfen im Glashaus. Aber es ist nun mal so: Alle Deutschen machen dieselben Fehler, wenn sie englisch sprechen. Daher sollte jeder Amerikaner diese weitverbreiteten Fehler lernen. Das ist – wie ich schon bald merkte – eine enorme Hilfe bei der alltäglichen Kommunikation.

Der erste von allen verbreiteten und ärgerlichen Fällen von falschem Englisch ist der, dass die Deutschen glauben, ein *cell phone* heiße *Handy*. Wenn man ihnen sagt, dass *Handy* nicht das englische Wort für *cell phone* ist, muss man sich einen grässlichen Witz über einen Schwaben anhören, der den Begriff erfunden haben soll. Jetzt sollte man auf keinen Fall sagen, dass es auf Englisch nicht *Handy* heißt, sondern sich einfach merken, dass es um ein *mobile phone* geht – und weitermachen.

Ein *Beamer* ist kein Meisterwerk von *Freude am Fahren*, sondern ein Projektor.

Eggzill ist ein Kalkulationstabellenprogramm von Microsoft.

Hier ist eine Warnung aufgrund von Erfahrungen aus erster Hand angebracht. Nachdem ich meine Kollegen von *Microzoft Vord*, *Eggzill* und *Axis* habe reden hören, nannte ich das andere Programm *MS-Proyekt*, weil ich glaubte, dass meine deutschen Kollegen es so aussprechen. Und schon machten sich wieder alle über meine Dummheit lustig. Ist ja auch eigentlich klar, dass es in Wirklichkeit *MS-Procheckt* gesprochen wird …

Actual (eigentlich, tatsächlich) hat nichts mit dem deutschen *aktuell* zu tun. Für Deutsche bedeutet *aktuell* gegenwärtig. Aus irgendeinem Grund denken sie *aktuell* = *actual*. Das ist supernervig, da *jeder* Deutsche diesen Fehler *immer wieder* machen wird, bis er stirbt – egal, wie oft man es ihm sagt.

Das *Fitnessstudio* ist ein *gym*. Wenn Amerikaner den deutschen Begriff hören, befürchten sie, dass sie beim Trainieren gefilmt werden, aber glücklicherweise hat dieses Studio nichts mit Kameras zu tun, sondern nur mit körperlicher Ertüchtigung.

Der *Smoking* ist ein *tuxedo*. Nur mit einer Zigarette bekleidet zu einer Festveranstaltung zu gehen wäre unter Umständen auch nicht ganz angemessen …

Das Wort *Mobbing* vermittelt Amerikanern das Bild eines wütenden Mobs von fünfzig Leuten, die einem ans Leder wollen. Im Deutschen ist es aber jede Form von Schikane oder schlechter Behandlung, besonders durch Mitarbeiter oder Vorgesetzte am Arbeitsplatz.

Und dann ist da noch die Sache mit den *Informations*, *Trainings* und so weiter. Die Deutschen erfinden Pluralformen von Wörtern, mit denen man das eigentlich nicht machen kann. Das klingt – ehrlich gesagt – ziemlich albern.

Lucky heißt im Deutschen *happy*, was ganz schön seltsam – und verwirrend für jeden Amerikaner – ist, da die meisten Deutschen ab und zu das Wort *happy* verwenden, etwa in »This film is a happy end«. Übrigens, ihr Deutschen, eigentlich meint ihr »This movie has a happy ending«.[2]

Ein *Oldtimer* ist für Deutsche ein antikes Auto, nicht ihr Großvater.

Ein *Shooting* ist nicht das, was täglich auf dem Martin Luther King Jr. Boulevard stattfindet. Wenn Deutsche zu einem *Shooting* gehen, sind sie auf dem Weg zum Fotografen. Beruhigend zu wissen …

Shrimps ist das deutsche Wort für *shrimp*. Daran erkennt man, dass die Deutschen lieber unsere Sprache missbrauchen, obwohl sie ihre eigene nutzen und das Ding einfach *Krabbe* nennen könnten.

Auch ein *Bodybag* ist im Deutschen (glücklicherweise) nicht der Sack, in dem tote Menschen ins Leichenschauhaus gebracht werden, sondern ein Rucksack.

Mein Dead bezeichnet den Vater eines jungen Menschen. So wie wir Amerikaner keine Vokale mit Pünktchen aussprechen können, können Deutsche unser kurzes *a* nicht aussprechen. Wenn Deutsche also über ihre *Deads* (= Toten) reden, braucht sich kein Amerikaner Sorgen zu machen – es ist nicht so schlimm, wie es klingt.

---

[2] Das ist für die Deutschen schwer auseinanderzuhalten, da *to be lucky* so viel wie *Glück haben* bedeutet, *to be happy* hingegen *glücklich sein*. d.Ü.

You can say you to me

Ein weiterer Umstand, der bei uns Amerikanern für Verwirrung sorgt, ist die sprachliche Unterscheidung der Deutschen zwischen Menschen, mit denen sie bekannt sind, und solchen, mit denen sie tatsächlich befreundet sind. Richtig, es geht um das Siezen und Duzen.

Diese sprachliche Komplikation verlangt alle möglichen ungeschriebenen Regeln, wann welche Form benutzt wird und wer wem Gelegenheit geben sollte, zum *Du* überzugehen. Diese Regeln variieren außerdem von Nord- nach Süddeutschland.

Dieses Siezen-Duzen kann das Arbeiten in Deutschland für uns Amerikaner etwas erschweren, weil deutsche Manager ihre Weltläufigkeit häufig unter Beweis stellen wollen, indem sie ihre amerikanischen Mitarbeiter beim Vornamen nennen, obwohl sie genau genommen eine *Sie*-Beziehung haben. Mein Lösungsvorschlag? Einfach anfangen, den Chef beim Vornamen zu nennen und ihn mit *Du* anreden.

Die komischste Situation ist jedoch die, wenn Menschen, die einander seit Jahren kennen, sich gegenseitig vorstellen.

Das könnte in etwa so ablaufen: Nach einem langen Bürotag treffen sich einige Arbeitskollegen im Biergarten. Nachdem sich alle bestens amüsiert haben, fassen sich vielleicht zwei Kollegen, die die letzten zehn Jahre zusammengearbeitet haben, ein Herz, und der eine fragt den anderen, ob sie nicht *Du* zueinander sagen sollten. Das ist die Erwachsenen-Version von »Wollen wir Freunde sein? Ja oder nein?«. Dieses Freundschaftsangebot wird – wie bei Facebook – fast immer angenommen, und dann stellen sich diese Menschen, die sich seit zehn Jahren kennen, einander vor und tun so, als wüsste der eine den Vornamen des anderen noch nicht.

II

KULTUR

Auf den ersten Blick sieht es so aus, als seien sich die deutsche und die amerikanische Kultur ganz ähnlich, da es ein gemeinsames westliches Erbe gibt und ein Groß-teil der Amerikaner sich auf deutsche Vorfahren beruft. Sie scheinen lediglich durch einen Ozean getrennt zu sein sowie dadurch, dass Amerikaner ein *th* ausspre-chen können und Deutsche nicht.

Schaut man sich die beiden Kulturen allerdings etwas genauer an, erkennt man sehr schnell, dass zwischen ih-nen drastische Unterschiede bestehen.

Brutale Ehrlichkeit

Das Erste, das uns Amerikanern an Deutschen auffällt, ist, dass sie brutal ehrlich sind. Wenn man auch nur im Geringsten übergewichtig ist, kann man damit rechnen, dass fünfundsiebzig Prozent der Deutschen einen mindestens einmal darauf hinweisen, dass man dick ist. Ich glaube, die Deutschen brauchen sich nicht einmal eine Personenwaage zu kaufen, denn irgendein Bekannter wird einen immer darauf aufmerksam machen, wenn man ein Pfund zugenommen hat.[3]

Überall auf der Welt sagen Kinder genau das, was sie denken. In den meisten Nationen der Welt lernen die Kinder aber mit der Zeit, dass man manches besser für sich behält. In der deutschen Kultur allerdings existiert die Vorstellung von einer »kleinen Notlüge« einfach nicht. Die Deutschen besitzen eben kein Talent, ihre Gefühle mit ein bisschen Zuckerguss mitzuteilen. Schlicht gesagt: Die Deutschen sind brutal ehrlich, und als Amerikaner muss man lernen, damit zurechtzukommen.

---

[3] Ein weiteres Missverständnis: Wenn Deutsche einen Menschen – sagen wir einen Amerikaner - »dick« nennen, ist das nicht etwa brutale Ehrlichkeit – es ist bereits der Zuckerguss! In Wirklichkeit meinen sie »obszön fett«, sind aber viel zu höflich, es auszusprechen. d.Ü.

Die Deutschen lieben Fakten

Die Deutschen sind brutal ehrlich – nicht weil sie es böse meinen, sondern einfach, weil die Deutschen Fakten lieben. Ihre allgemeine nationale Liebe zu Daten zeigt sich in der deutschen Gesellschaft auf vielerlei Art, am direktesten in der Werbung für die Zeitschrift *Focus*, deren Motto *Fakten, Fakten, Fakten!* lautet.

Mit diesem Slogan ließe sich in Amerika keine Zeitschrift verkaufen – es sei denn, es stünde der Name eines Promis darüber. In Amerika decken wir uns mit Nachrichten ein, die unserer Weltsicht entsprechen, indem wir uns für eine politische Überzeugung entscheiden und nur jene Fernseh- und Radioprogramme konsumieren, von denen wir wissen, dass sie unserem Standpunkt entsprechen. So können wir alle anderslautenden Meinungen per Knopfdruck ausblenden.

Das deutsche Fernsehen dagegen ist voll von Sendungen mit Namen wie *Galileo*, *Abenteuer Wissenschaft* oder *Wunderwelt Wissen* und Dokumentationen, in denen in quälender Ausführlichkeit die Banalitäten des Lebens von Leuten erklärt werden, die irgendwo in den Alpen Ziegen hüten oder Käse machen.

Vor der Einführung des Euro zeigten die Deutschen ihre Liebe zur Exaktheit sogar auf jedem Zehn-Mark-Schein. Darauf stand eine Gleichung – die Gauß-Verteilung –, die versucht, Ordnung in beliebige Variablen zu bringen. In Deutschland begreift man einfach nicht, dass auf Geldscheine tote Politiker gehören, keine Naturwissenschaftler.

Die Liebe der Deutschen zu Fakten geht sogar so weit, dass die meisten von ihnen nicht einmal an die Bibel glauben – wahrscheinlich, weil sie keine Links zu Wikipedia enthält.

Die Deutschen sind Erbsenzähler

In Amerika denken wir im großen Maßstab. Deshalb verzeihen wir kleine Schlampereien immer und nehmen an, dass am Ende alles mehr oder weniger stimmt. Nicht so die Deutschen. Deren höchstes Ziel ist es, alles ganz genau richtig zu machen, *absolut jedes Mal.*

Wenn man einen Deutschen fragt, warum er kein Eis in seinem Getränk haben will, wird seine Begründung in etwa lauten, dass das Eis schmelzen und sein Getränk verwässern werde. Es ist ihm vielleicht gar nicht bewusst, aber der Deutsche lügt. Denn der wahre Grund, warum er kein Eis in seinem Getränk haben will, ist der, dass er dann nicht sehen kann, ob es die exakt korrekte Menge Flüssigkeit enthält. Darum gibt es auf jedem einzelnen Glas in Deutschland einen Strich, der die exakte Füllhöhe für ein Getränk anzeigt. 0,19 oder 0,21 Liter Cola light sind einfach nicht akzeptabel – das Glas muss auf 0,2000 ±0 Liter gefüllt sein.

Tatsächlich sind die Deutschen so davon besessen, alles exakt und gerecht zu machen, dass sie sogar ein System haben, für den öffentlichen Rundfunk zu zahlen. Und noch heute versucht diese Behörde die Familien ausfindig zu machen, die kein Fernsehgerät besitzen. Es kostet Deutschland ungefähr 160 Millionen Euro pro Jahr herauszufinden, welche fünfundzwanzig Leute von den achtzig Millionen keinen Fernseher besitzen und nicht gezwungen werden dürfen, für ein öffentliches Gut zu bezahlen.

Ein Großteil der 79.999.975 Menschen, die einen Fernseher besitzen, wird das Gerät sogar aus der Steckdose ziehen, wenn nicht ferngesehen wird, um Strom zu sparen. Schließlich verbrauchen das winzige rote Lämpchen an der Vorderseite und der kleine Schaltkreis, der auf das Signal der Fernbedienung wartet, zusammen 0,1 Watt. In Amerika sagen wir »Ach was, vergessen wir's, das ist ein Tröpfchen im Eimer«, die Deutschen hingegen sagen »He, lass das, das ist schon wieder ein Tropfen für meinen Eimer!«.

Ich muss allerdings zugeben, dass ich in Deutschland selbst zum Erbsenzähler geworden bin. In meiner Wohnung wurden nämlich die tatsächlichen Verbrauchskosten mit dem in der Miete enthaltenen geschätzten Verbrauch abgeglichen, und dadurch war ich quasi gezwungen, jeden einzelnen Cent nachzuzahlen, der über den geschätzten Verbrauch hinausging. Hinzu kam, dass sich meine Energiespargewohnheiten stark von denen der deutschen Vormieter unterschieden und ich nach sechs Monaten eine dicke Rechnung für all den zusätzlichen Energieverbrauch bekam. Danach machte ich mir tatsächlich Gedanken darüber, ihn einzuschränken.

Die Deutschen hassen Kundenservice

Als Amerikaner merkt man schon bald nach der Ankunft in Deutschland, dass die Deutschen Kundenservice hassen. Manche Firmen werben sogar im Fernsehen damit, wie äußerst ungern sie mit Kunden zu tun haben möchten, und die Deutschen nehmen sie trotzdem immer noch in Anspruch.

Ich erlebte das bei einem Gang zur Deutschen Telekom, wo ich einen Telefon- und Internetanschluss beantragen wollte. Als ich zum T-Punkt kam, wurde ich an der Tür von zwei attraktiven jungen Angestellten begrüßt, die mich nach meinen Wünschen fragten, und nachdem ich diesen freundlichen Menschen meine Kommunikationsbedürfnisse erklärt hatte, sagten sie mir, ich solle mich hinter allen anderen anstellen. Diese zwei Leute könnten leicht durch ein Schild mit der Aufschrift »Willkommen, bitte ziehen Sie eine Nummer« ersetzt werden, aber das würde die Anzahl der Angestellten, die einen tatsächlich *beraten* könnten, verdreifachen – und das wäre völlig unannehmbar.

Sobald mein Telefon angeschlossen war – für das Umlegen des Schalters brauchte die Telekom auch nur lediglich einen Monat –, war ich in der Lage, mich mit anderen Firmen herumzuschlagen, die nicht mit mir sprechen wollten. Ich merkte das daran, dass mir sofort gesagt wurde, dass mein Anruf fünfzehn Cent pro Minute kostet. Je länger ich also in der Warteschleife schmorte, desto mehr musste ich für den schlechten Kundenservice bezahlen. Ist doch auch eigentlich eine gute Rechnung: Je unfähiger die Servicekräfte sind, desto mehr muss man für den Umgang mit ihnen zahlen.[4]

---

[4] Sorry, aber das mit dem nicht existenten Kundendienst und der Warteschleife ist eine Idee, die wir – wie so vieles – von den Amerikanern übernommen haben. d.Ü.

Der Flachspüler

Eine Sache, die Amerikanern in Deutschland besonders unheimlich ist, ist der Flachspüler. Diese Toiletten werden allgemein auch als *poo shelf toilets* (= Aa-
Regal-Toiletten) bezeichnet, da sie kein Wasserbecken
enthalten, in das man seine Dinge hineinplumpsen lässt,
sondern eine Art Porzellanteller, auf dem sich die Exkre-
mente stapeln. Zwar herrschen immer noch einige Un-
einigkeiten und Spekulationen darüber, was den Zweck
dieses verblüffenden Designs angeht, die verbreitetste
These ist jedoch die, dass man so Gelegenheit hat, eine
kleine Selbstdiagnose an seiner Stuhlprobe vorzuneh-
men. Das kann vielleicht bei der Entscheidung über eine
Ernährungsumstellung oder Ähnliches ein wenig helfen.
Was immer der Grund sein mag, diese *Leistungstoiletten*
sind Nicht-Deutschen echt unheimlich.

Noch seltsamer ist, dass die Deutschen beim Thema Flachspüler in zwei Lager gespalten sind. Entweder
leugnen sie rundweg deren Existenz oder verteidigen
sie mit der Begründung, sie seien dem Standard-Design,
das der Rest der Welt benutzt, überlegen, weil bei der
deutschen Version der Spritzfaktor angeblich stark redu-
ziert sein soll.

Ampeln direkt über dem Kopf

Auch wenn nicht alle Deutschen an dieser dummen Sache Schuld tragen, kann es einen schon aufregen, dass die Deutschen keine Revolution anzetteln, um es zu ändern.

Wenn man in Deutschland Auto fährt, möchte man nie der erste Wagen an der Ampel sein, denn in Deutschland stehen die Ampeln auf der Straßenseite, auf der man fährt, statt auf der anderen Seite. Deshalb muss man sich nach vorn beugen und um den Rückspiegel herumgucken, um einen Blick auf die Ampel direkt über seinem Kopf zu erhaschen. Das ist wieder ein typisches Beispiel für »Warum soll ich es mir einfach machen, wenn es auch kompliziert geht?«.

Da die Deutschen gemerkt haben, dass sie sich eine ziemlich bescheuerte Stelle für den Aufbau ihrer Ampeln ausgesucht haben, setzen sie oft eine zweite Ampel tiefer an den Mast, die extra für den ersten Wagen an der Ampel gedacht ist. Dann muss der Fahrer nicht hoch nach oben gucken, sondern kann quer durch den Wagen schauen, um zu sehen, wann er wieder losfahren kann – vorausgesetzt, es sitzt kein Beifahrer im Wagen, der den Blick versperrt.

Weitere Beweise, dass die Deutschen Bequemlichkeit hassen

Die Deutschen fragen oft, wie mir das Leben in ihrem Land gefällt und was ich hier am meisten vermisse. Ich sage dann immer, dass mir viele unterschiedliche Aspekte an Deutschland sehr gefallen, mir aber die Bequemlichkeit des Lebens in Amerika fehlt. Die meisten Deutschen begreifen das nicht ganz, da ihnen anscheinend das Ausmaß ihres Hasses auf Bequemlichkeit nicht bewusst ist.

Ein schönes Beispiel für etwas, das in Amerika ganz selbstverständlich ist: direkt an der Zapfsäule mit Geld- oder Kreditkarte bezahlen. In Deutschland dagegen muss man tanken, dann zum Bezahlen in die Tankstelle hineingehen, merken, dass man die Zapfsäulennummer nicht weiß, wieder nach draußen zum Wagen trotten, um die Zapfsäulennummer abzulesen, dann wieder hineingehen, sich anstellen, sechzig Euro für fünfundvierzig Liter bezahlen und zurück zum Wagen laufen.

- Durchschnittliche Schrittverschwendung pro Tankfüllung: 43.
- Durchschnittliche Zeitverschwendung pro Tankfüllung: 3 Minuten.

Bei zwanzig Millionen Autos, die einmal pro Monat tanken, verschwenden die Deutschen siebenhundert Millionen Minuten pro Jahr und sind gezwungen, in dieser Zeit zehn Milliarden Schritte zusätzlich zu laufen.

Liebe Deutsche, das sind 6.857.142 Fußballspiele *einschließlich Halbzeitpause*, die ihr jedes Jahr kollektiv verschwendet, nur weil ihr es hasst, euch das Leben zu erleichtern.

Natürlich kauft ihr wahrscheinlich auch Zigaretten, also ist die Sache strittig.[5]

---

[5] Zigaretten sind nur der Anfang. Außerdem müssen wir an der Tanke Lebensmittel, Zeitschriften, Getränke, Grillzubehör, Großpackungen Lakritze und knallrote Gummiboote einkaufen. Da kommt es auf ein paar Minuten mehr oder weniger wirklich nicht an. d.Ü.

Sechsundsechzig Prozent aller Deutschen sehen bescheuert aus, wenn sie einen Ball zu werfen versuchen

Es gibt zwei Sportarten, in denen die Deutschen den Amerikanern immer überlegen waren (und wahrscheinlich immer überlegen sein werden): Fußball und Autorennen.

Aus diesem Grund sollte man niemals wetten, dass die USA die Deutschen im Fußball schlagen werden. Das wird einen nur zweihundert Euro kosten, bevor man endlich seine Lektion gelernt hat – und es ist ganz egal, wie viele Tore Landon Donovan gerade für L.A. Galaxy schießt.

Außerdem werden die Amerikaner nie so gut Auto fahren wie die Deutschen. Unsere Vorstellung von Autorennen besteht darin, alle in ein großes Oval zu setzen und ihnen zu sagen, sie sollten links herum fahren. Die Deutschen haben Michael Schumacher. Mehr muss man nicht sagen.

Eines aber können zwei Drittel aller Deutschen nicht: einen Ball werfen, ohne absolut bescheuert auszusehen. Ich schätze, dass das restliche Drittel entweder Handballspieler oder sportliche Naturtalente sind oder als Austauschschüler in ihrem Highschool-Jahr ins kleinstädtische Amerika verschlagen wurden, wo sie Football spielen lernten, um die Zeit totzuschlagen.

Achtundneunzig Prozent aller Amerikaner können einen Ball werfen, ohne bescheuert auszusehen. Das liegt an unserem Bildungssystem, zu dem ausnahmslos das Spiel *dodge-ball* gehört, bei dem das Werfen eines Balls überlebensnotwendig ist. Das deutsche Spiel Völkerball enthält kein ausreichendes Gefahrenelement, um den evolutionären Prozess zur Entwicklung dieser kinetischen Fähigkeit in Gang zu setzen.

Luftbewegung kann tödlich sein

Obwohl sich dreihundert Millionen Amerikaner mittlerweile auf Klimaanlagen als notwendigen Komfort des zwanzigsten Jahrhunderts verlassen, sind hundert Prozent der Deutschen leidenschaftliche Hasser von Klimaanlagen. Die Deutschen würden lieber bei Temperaturen um dreißig Grad Celsius und neunzig Prozent Luftfeuchtigkeit im Büro schuften, als gezwungen zu sein, sich der Luft auszusetzen, die angenehm temperiert aus einer Maschine kommt.

Und es ist nicht nur gekühlte Luft, die die Deutschen so sehr verabscheuen, sondern vielmehr jede Art von Luftbewegung. Während die Deutschen frische Luft lieben, wird Luft, sobald sie sich in Bewegung setzt, sofort zu einer tödlichen Gefahr, einer Quelle welterschütternder Katastrophen.

Die Deutschen haben sogar eine Krankheit erfunden, die ausschließlich von Luftbewegungen ausgelöst wird: den *Zug*. Diese Krankheit ist in Amerika völlig unbekannt, weil davon (trotz unserer Neigung zum Leben mit Klimaanlage) noch nie jemand betroffen war. Wenn aber ein Deutscher einem anderen Deutschen erzählt, dass er sich einen Zug geholt hat, ist dem Kränkelnden sofortiges Mitgefühl für sein Leiden an diesem erfundenen Gebrechen sicher.

Die Deutschen fahren binär

Als ich zum ersten Mal das Privileg genossen habe, als Beifahrer in einem von einem Deutschen gelenkten Auto zu sitzen, habe ich am eigenen Leib erlebt, dass die Deutschen binär fahren.

Der normale Fahrverlauf in Amerika sieht so aus, dass man wartet, bis die Ampel grün wird, dann langsam auf die erlaubte Geschwindigkeit beschleunigt, diese beibehält, solange keine Gegenstände die Weiterfahrt behindern, um bei der Entdeckung eines Hindernisses langsam zu entschleunigen.

Deutsche fahren nicht so. Ein Deutscher hört mit der größtmöglichen Beschleunigung erst im letztmöglichen Augenblick auf, damit er das Gaspedal gerade noch rechtzeitig durchtreten kann, um einen Zusammenstoß zu vermeiden. Obwohl das Benzin in Deutschland 1,30 Euro pro Liter kostet, hindert sie das nicht an sinnloser Benzinverschwendung oder unnötiger Verursachung von Stress und Reiseübelkeit.

Deutsche Ampeln warnen einen sogar rechtzeitig mit gelbem und rotem Licht vor, dass die Ampel gleich auf Grün umspringt, damit man anfangen kann, den Motor hochzujagen, um schnell bis zur nächsten roten Ampel oder in den nächsten Stau zu rasen.

Gehen mit Skistöcken ist ein Hobby

Die Deutschen kaufen alles, was auf Englisch vermarktet wird, und als die Finnen überlegten, wie sie den Deutschen ihre Skistöcke auch im Sommer verkaufen könnten, trafen sie die richtige Entscheidung und nannten den neuen Sport *Nordic Walking*.

Die Deutschen fielen auf diesen Trick herein und können heute nicht mehr einfach spazieren gehen, sondern müssen aller Welt zeigen, wie sportlich sie sind, indem sie in teurer Nordic-Walking-Ausrüstung herumlaufen und ihre Sommer-Skistöcke vorzeigen.[6]

Um eine deutsche Website zu zitieren, die Nordic-Walking-Accessoires anpreist: »Nordic Walking ist ein neues, völlig revolutionäres Bewegungskonzept.«

Früher wanderten alte Leute mit einem Stock. Aber wenn man heutzutage zwei Stöcke benutzt, wird es plötzlich eine Revolution in Bewegung. Beängstigend.

---

[6] Ebensowenig erschließt sich dem Deutschen das amerikanische Bewegungskonzept, mit dem Auto zum *gym* zu fahren und dort auf einem Laufband zu traben, während vor einem ein Landschaftsfilm abläuft. d.Ü.

Krankheiten werden geplant

Die Deutschen belächeln unsere improvisatorischen Methoden als kindisch und eine Nebenwirkung unserer Cowboy-Mentalität. Sie mögen Spontaneität nicht sonderlich, sondern schätzen es, wenn alles nach Plan läuft.

Wenn man in Deutschland auf einen Zug wartet und merkt, dass er mehr als eine Minute Verspätung hat, kann man mindestens einen Deutschen hören, der die Deutsche Bahn als unzuverlässig beschimpft, obwohl sie ein 34.000-Kilometer-Eisenbahnnetz mit fünf Millionen Fahrgästen täglich mit verblüffender Effizienz verwaltet.[7]

Aber damit nicht genug. Die Deutschen lieben Planung so sehr, dass sie sogar ihre Krankheiten planen. Wenn man mit Deutschen zusammenarbeitet und jemanden zu erreichen versucht, der wegen Krankheit fehlt, wird sein Boss einem mitteilen, dass er bis nächsten Donnerstag krank ist. Denn die Deutschen gehen erst wieder zur Arbeit, wenn ihr Arzt sie für arbeitsfähig erklärt.

---

[7] Was uns nervt, ist nicht die eine Minute Verspätung, sondern die Erfahrung, dass daraus »wegen Störungen im Betriebsablauf« (in der Regel ein- und aussteigende Fahrgäste) schnell fünf, fünfzehn, fünfzig Minuten werden. d.Ü.

Die Deutschen subventionieren Staus

Jeder Wirtschaftswissenschaftsstudent weiß, dass Belohnungen das Verhalten steuern, und staatliche Subventionen haben sehr reale Auswirkungen darauf, wie die Menschen ihr Leben gestalten.

In Amerika benutzen wir das Steuersystem, um Hausbesitz zu subventionieren, die Deutschen benutzen das Steuersystem, um Verkehrsstaus zu subventionieren.

In Deutschland kann man für jeden Kilometer, den man auf dem täglichen Weg zur Arbeit zurücklegt, dreißig Cent von der Steuer absetzen. Ergo: Deutschland bezahlt einen, um Staus zu verursachen. Das hat zur Folge, dass jeder Radiosender jeden Morgen den Erfolg des Stausubventionierungsprogramms verkündet, indem aufgezählt wird, wie viele Kilometer der Stau auf den jeweiligen Straßen beträgt.

Das Schlimmste an diesem Programm ist, dass man auf seinen Fahrten für das böse Autobahntoilettenreich empfänglich wird, selbst auf kurzen Fahrten von wenigen hundert Kilometern. Da die Autobahnen von Lastwagen und Pendlern verstopft sind, gestaltet sich eine Überlandfahrt langsam und nervenaufreibend. Kurz gesagt, man braucht irgendwann eine Pause und hält wahrscheinlich an einer Autobahnraststätte.

Dort gibt es mittelmäßiges Essen und die einzigen großen Becher Cola in ganz Deutschland. Als Amerikaner wird man zunächst aufgeregt seinen Halbliterbecher bis zum Rand mit unserem herrlich erfrischenden Exportartikel füllen, aber bald wird einem klar, warum genau diese Raststätten-Leute einen so »großzügig« mit dem richtig proportionierten Coke-Behältnis versorgt haben: damit man in die Zahlen-fürs-Pinkeln-Falle tappt.

Man weiß schließlich, dass dieser halbe Liter wieder hinaus muss, aber man weiß nie, wann man wieder stundenlang im Stau feststeckt. Also kann man es sich einfach nicht leisten, *nicht* die Toilette aufzusuchen, bevor man sich auf die Weiterfahrt begibt. Und hier nun greift der böse Plan: Man muss fünzig Cent bezahlen, um auf die Toilette zu gehen.

Damit man aber nicht das Gefühl hat, dass man völlig ausgenommen wird, erhält man beim automatischen Toiletteneinlass einen Bon, den man an einer Raststätte einlösen kann. Leider hat man zu diesem Zeitpunkt bereits all die überteuerten Schokoriegel und Gummibärchen gekauft, sodass der Bon vollkommen nutzlos ist. Sobald man zu Hause ist, wird man ihn auf den Haufen von Bons werfen, die man bereits gesammelt hat, aber vor der Abfahrt immer vergisst mitzunehmen. Wenn man endlich daran denkt, diesen Berg einmal einzustecken, bevor man losdüst, und damit das Fernfahrer-Schnitzel und die Cola zu bezahlen versucht, wird die Kassiererin einen höchstwahrscheinlich belehren, dass die Bons nicht mehr gültig sind. Und die böse Prozedur beginnt von vorn.

Andererseits weiß man aber, dass die Toiletten sauber sind und erfüllt von beruhigenden Regenwaldklängen, um Ihre Straßenwut zu besänftigen.

Überfüllte Räume

Deutschland ist ein tolles Land, und alles, was mit Deutschland nicht stimmt, lässt sich auf lediglich zwei Ursachen zurückführen.

Das eine offensichtlichere Problem besteht darin, dass das Wetter in Deutschland so gut wie immer kalt, nass und trübsinnig ist. Trübsinniges Wetter macht trübsinnige Menschen.

Das andere Problem, das Deutschland hat, ist seine Neigung, Menschen in engen Räumen zusammenzupferchen. Damals im Mittelalter war es sicherlich sinnvoll, kompakte kleine Städte zu schaffen, weil die Menschen überall zu Fuß hingehen mussten. Und da die Deutschen es hassen, Dinge anders zu machen, als man es schon immer gemacht hat, bleiben deutsche Städte im Wesentlichen weiterhin überbevölkert, und die Leute leben in meist winzigen Wohnungen übereinander.

Da jeder Deutsche mindestens einen Gartenzwerg besitzen muss, gibt es Schrebergärten. So ist kein Gartenzwerg gezwungen, in einer Wohnung zu leben.

Eins der ersten Dinge, die einem auffallen werden, wenn man über Deutschland fliegt, ist, dass achtzig Millionen Menschen in einem winzigen Land leben, das total ländlich wirkt. Das liegt daran, dass die Deutschen wie die Sardinen leben, während wir in Amerika ausufernde Vorstädte haben.

Wo zu viele Menschen auf beengtem Raum und trübsinniges Wetter zusammenkommen, reagiert man sehr schlecht gelaunt auf seine Umgebung. Was mich in Deutschland verrückt macht, ist der Umstand, dass die Deutschen es hassen, sich anzustellen und geordnet auf etwas zu warten. In jeder Stadt von über zweitausend Einwohnern muss man aufpassen, beim Anstellen keine Lücke vor sich zu lassen, sonst wird sich unweigerlich jemand vordrängeln.

Ebenso ärgerlich ist es, wenn man im Supermarkt einkauft, sich eine lange Schlange bildet und eine weitere Kassiererin eingesetzt wird, die eine zweite Kasse aufmacht (was toll ist, weil sie bis dahin mit ziemlicher Sicherheit Regale aufgefüllt hat und die Kunden sie durch ihre schnöden Einkaufsversuche gestört haben). Wenn das geschieht, gibt es einen wilden Ansturm auf die neu geöffnete Kasse, und es ist völlig akzeptabel, kleine Kinder und ältere Leute umzustoßen. Die Technik, die es hier zu beherrschen gilt, besteht darin, die Ellbogen ungefähr auf Schulterhöhe zu halten, damit sich kein Schnellerer an einem vorbeidrängeln kann.

Am schlimmsten ist es, wenn man samstags in einer Bäckerei im Supermarkt Brot kaufen muss. Zum einen wird einem die Laune dadurch verdorben, dass man sich hetzen muss, all die Wochenendeinkäufe zu erledigen, weil die Läden an diesem Tag früher schließen und man am Sonntag gar nicht einkaufen kann. Zum anderen wird die Laune noch schlechter, wenn man die ganzen alten

Rentner bemerkt, die die Frechheit besitzen, in der Stoßzeit einzukaufen, wo sie doch offensichtlich die ganze Woche nichts anderes zu tun hatten. Und als Krönung des Ganzen kommt man an die Bäckereitheke, wo wieder allgemeiner Ansturm herrscht und jeder versucht, die Aufmerksamkeit einer der Damen dahinter zu ergattern, um als Erster seine Wünsche kundzutun.

Es könnte so einfach sein, sich bei der Bäckerei anzustellen und ein angenehmes, entspannendes Einkaufserlebnis nach dem Motto »Wer zuerst kommt, mahlt zuerst« zu haben. Stattdessen aber ist jede Fahrt zur Bäckerei an einem Samstag ein stressiger Wettbewerb um das Überleben des Stärkeren, ein Kampf um das letzte Brötchen.[8]

---

[8] Immerhin bekommen wir dafür oft anständiges Brot, das die Plackerei lohnt, und nicht nur abgepackte Schwämme. d.Ü.

Die Deutschen können werden,
was immer sie wollen

Allerdings nur, solange sie sich entscheiden, was sie wollen, bevor sie in die Pubertät kommen.

Deutsche glauben an die Erschaffung optimaler Sozialsysteme, und das gilt auch für ihr Bildungssystem. In Amerika schleifen wir fast alle Schüler zusammen durch die Highschool, wo die größte Sorge darin besteht, Sportwettbewerbe zu gewinnen und eine gutaussehende Klassenkameradin zu finden, mit der man zum Abschlussball geht. In jeder Highschool in Amerika gibt es Kinder, die sich abrackern, um an einer der prestigeträchtigsten Universitäten der Welt aufgenommen zu werden, und daneben Kinder, die fast schlau genug sind, um eines Tages Hausmeister zu werden.

In Deutschland dagegen wären diese Kinder schon längst auf drei verschiedene Schultypen verteilt worden. Wenn deutsche Kinder so weit sind, dass ihr Alter den zweistelligen Bereich erreicht, müssen sie anfangen, sich Sorgen um ihre zukünftige Karriere zu machen, denn sie werden nun entweder auf eine Schule geschickt, auf der sie alles lernen, was sie brauchen, um Arzt zu werden, oder auf eine Schule, die ihnen hilft, Klempner zu werden.

Die Deutschen sind bemerkenswert unflexibel in Sachen Karrierewechsel, während Amerikaner offenbar keine sonderlichen Probleme haben, sich neu zu definieren, wann immer die Marktlage ein solches Verhalten belohnt. In Deutschland kann man drei Jahre lang studieren, Kellner zu werden, während dieser Vorgang in Amerika ungefähr eine Schicht beansprucht.

Wenn einem in Deutschland also die Karriere wichtig ist, muss man früh die richtige Entscheidung treffen, weil ein späterer Wechsel nahezu unmöglich ist. Unterschiede in Ausbildung und Beruf können in Deutschland weitreichende Konsequenzen für den sozioökonomischen Status haben und entscheiden häufig allein über die Zugehörigkeit zur unteren oder mittleren Mittelschicht. (Im Wesentlichen darüber, ob Sie einen Twingo oder einen Mercedes fahren.)

Das duale System, wie das in Deutschland heißt, entspricht unserem System von *Vo-Techs* und College-Abbrechern. In Deutschland werden diejenigen, die sich weniger für eine akademische Bildung interessieren, frühzeitig aus dem theoretischen Lernen abgezogen und einer praktischen Ausbildung zugeführt. Die *nerds* müssen drei zusätzliche Schulahre absolvieren, haben aber den Vorteil, das Schulgelände in den letzten Jahren ihres höheren Bildungswegs nicht mit den Versagern teilen zu müssen.

Während wir unseren Teenagern erzählen, sie könnten alles werden, was sie wollen, und sie dann im College am Erreichen ihrer Träume scheitern lassen, umgehen die Deutschen diese vergeudeten zwölf bis achtzehn Monate fehlgeleiteter Bildungsbestrebungen und ersetzen sie stattdessen durch die vergleichbare Menge verschwendeter Zeit beim Ableisten der Wehrpflicht.

Am Ende dieser unterschiedlichen Ausbildungen stehen einerseits Amerikaner, die im Grunde auf keinem Gebiet Spezialisten sind, aber immer noch glauben, sie könnten alles, und andererseits Deutsche, die extreme Spezialisten auf ihrem Gebiet sind, denen es aber widerstrebt, irgendetwas zu machen, was außerhalb ihrer unmittelbaren Arbeitsplatzbeschreibung liegt.

Beide Systeme haben ihren Reiz, das korrekte System ist jedoch das amerikanische. Schließlich hat es Dutzende international anerkannter Filme mit dem Thema Highschool inspiriert, einen erfolgreichen Film über das deutsche Gymnasium gab es hingegen noch nie.[9]

---

[9] Immerhin haben wir *Die Feuerzangenbowle*. d.Ü.

Deutsche Verkehrszeichen sagen, was nicht das Tempolimit ist

Deutsche Straßen haben ein gewisses Tempolimit, je nachdem, um welchen Straßentyp es sich handelt. So weiß beispielsweise jeder, dass die geliebte Autobahn eigentlich keine Geschwindigkeitsbegrenzung hat, aber auch ein kleinerer Straßentyp, die Kraftfahrstraße, hat in den meisten Fällen keine. Auf bestimmten Abschnitten dieser Straßen gibt es jedoch durchaus Geschwindigkeitsbegrenzungen aufgrund diverser Faktoren, die das Fahren bei zweihundertfünfzig Stundenkilometern einigermaßen gefährlich gestalten würden.

Es gibt jedoch andere Straßentypen, die durchaus ein Tempolimit haben, und für Ausländer ist der Schlüssel zum erfolgreichen Fahren in Deutschland die Fähigkeit zu unterscheiden, auf welchem Straßentyp sie gerade unterwegs sind. Das liegt vor allem daran, dass die Deutschen in ihrer verdrehten Logik denken, es sei vernünftig, den Autofahrern zu sagen, was *nicht* das Tempolimit ist, statt ihnen zu sagen, wo es liegt.

Man braucht nur an folgendes Schild zu denken: ein weißer Kreis, in dem eine sechzig steht, die mit fünf Diagonallinien durchgestrichen ist. Einfach, oder? Es gibt keine Geschwindigkeitsbegrenzung, weil sie aufgehoben ist. Von wegen! Gar nicht so einfach, denn jetzt weiß der Fahrer lediglich, dass die Höchstgeschwindigkeit nicht sechzig ist. Vielleicht darf man jetzt hundert Stundenkilometer schnell fahren, vielleicht gibt es aber auch gar keine Begrenzung.

Wie einfach wäre es gewesen, hundert Stundenkilometer auf das Schild zu setzen oder einfach Streifen, damit man weiß, dass es keine Begrenzung gibt.

Aber das interessiert hier keinen. Jeder Deutsche wird argumentieren, bis er blau anläuft, dass es vollkommen vernünftig ist zu sagen, was *nicht* das Tempolimit ist. Das liegt wahrscheinlich daran, dass sie 1.800 Euro zahlen, um ihren Führerschein zu bekommen – also müssen sie es besser wissen.

Die Deutschen fragen sich, warum die Amerikaner an Bayern denken, wenn von Deutschland die Rede ist

Was mich an den Deutschen jedes Mal wieder verblüfft, ist der Umstand, dass sich neunzig Prozent von ihnen ehrlich fragen, warum Amerikaner sofort an Bayern denken, wenn von Deutschland die Rede ist. Die restlichen zehn Prozent sind Bayern.

Liebe Deutsche, probiert dieses Experiment mit mir aus: Stellen Sie sich einen typischen Bayern vor. – Okay, geschafft? Lassen Sie mich raten, entweder haben Sie an ein Mädchen im Dirndl gedacht oder an einen Kerl mit einem dicken Schnurrbart und in Lederhosen. Und jetzt stellen Sie sich einen typischen Deutschen aus Hessen vor. – Sehen Sie, das können Sie nicht! Also wie können Sie das von uns erwarten?!

Amerikaner schämen sich nicht im Geringsten, den Rest von Deutschland zu ignorieren, denn Bayern ist genau das, was wir suchen. Wir kommen nach Europa, um alte Sachen zu sehen. In München können wir Bauten bewundern, die fast sechzig Jahre alt sind. Wir lesen als Kinder dieselben Märchen wie die Deutschen (okay, in unseren Märchen ist der ganze richtig gruselige Stoff gestrichen, den die deutschen haben), und wir wollen ein echtes Schloss sehen, das uns glauben macht, diese Märchen hätten sich tatsächlich so abspielen können. Neuschwanstein gibt uns diese Hoffnung.

Vor allem aber haben wir nicht die Zeit, die Kultur kennenzulernen und feine Unterschiede zu bemerken, weil wir pro Jahr nur zwei Wochen Urlaub bekommen. Wir wollen Sachen, die groß und eindeutig sind, und Bayern ist so ziemlich die einzige Gegend, die uns das bietet. Amerikaner lieben es groß, und genau das gibt uns Bayern: Bier in Ein-Liter-Krügen, riesige Brezeln, Haxn und die Alpen.

Wir lieben Bayern, weil es die deutsche Ausgabe von Texas ist: Beide sind groß und weitgehend ländlich. Obwohl ländlich, sind sie Zentren für Industrie und High-Tech-Firmen. Beide liegen tief im Süden. In beiden Ländern sprechen die Menschen mit einem komischen Akzent. Sie erinnern sich daran, dass sie einmal unabhängige Staaten waren, und würden es gern wieder werden. Der Rest des Landes mag sie nicht besonders, und die Leute dort mögen den Rest des Landes nicht besonders. Und das Beste ist, dass in Texas wie in Bayern die Einheimischen ab und zu immer noch mit altmodischen Klamotten Verkleiden spielen.

Die Deutschen fahren falsch herum

Man hört häufig, dass die Wörter einer Sprache viel über eine Kultur verraten. Die Eskimos zum Beispiel müssen wohl in einer kalten Gegend leben, denn sie haben zweiundvierzig Wörter für Schnee.

In Deutschland hört man häufig das Wort *Geisterfahrer* im Radio. Als mir das zum ersten Mal passierte, fragte ich mich: »What the heck is a ghost rider?« Bilder meiner Kindheit zogen vor meinem inneren Auge vorbei, als meine Freunde und ich von fahrenden Fahrrädern absprangen und zusahen, wie weit diese noch fuhren, bevor sie umfielen oder in das Auto des Nachbarn krachten. Einen Moment lang ergriff mich Panik.

Aber nein, die Deutschen springen nicht aus ihren fahrenden Fahrzeugen. Sie fahren auf der falschen Straßenseite in der falschen Richtung – und tun das so häufig, dass es dafür ein eigenes Wort gibt.

Das ist ganz besonders eigenartig, weil Deutschland das letzte Land ist, von dem man erwarten würde, dass Leute so grauenhaft fahren, und zwar aus folgenden Gründen:

1. Die Deutschen dürfen während des Fahrens nicht mit ihrem Handy telefonieren. Auf deutschen Stra-

ßen ist man gesetzlich verpflichtet, sich auf das zu konzentrieren, was man gerade tut. Die Deutschen essen nicht einmal im Auto, und sie machen sich überhaupt nichts aus Tassenhaltern, dem wichtigsten Bestandteil in amerikanischen Wagen.

2. Um in Deutschland eine Fahrerlaubnis zu bekommen, muss man durch alle möglichen Reifen springen. Man muss Tests absolvieren, Tausende von Euros bezahlen, Stunde um Stunde in der Fahrschule verbringen … Trotzdem gibt es noch lächerliche Einschränkungen wie die, dass man keinen Wagen mit Gangschaltung fahren darf, wenn man die Fahrprüfung in einem Automatik-Auto absolviert hat.

3. Alte Menschen haben alternative Transportmöglichkeiten. In Amerika verliert man mit dem Alter, in dem man die Fähigkeit zum sicheren Fahren verliert, auch seine Unabhängigkeit, da es kaum öffentliche Verkehrsmittel gibt. Daher geben viele Ältere niemals zu, dass sie diesen Punkt erreicht haben. In Deutschland können Senioren den Zug nehmen.

4. Jede Straße ist mit einem Pfeil markiert, um eindeutig die Fahrtrichtung anzuzeigen. Dieses System ist idiotensicher. Der Wagen muss in die Richtung fahren, in die der kleine weiße Pfeil weist.

Obwohl es für abgelenkte oder verwirrte Fahrer absolut keinen Grund gibt, kann es gut sein, dass einem irgendwann ein *Geisterfahrer* begegnet. Das kann einem echt Angst einjagen.[10]

---

[10] Moment mal – *Ghost Riders in the Sky* ist ein amerikanischer Hit – und viel älter als das deutsche Phänomen des Falschfahrers. d.Ü.

Die Deutschen lassen einen nicht ohne professionelle Unterstützung Aspirin kaufen

1897 bescherte die deutsche Firma Bayer Deutschland und der Welt das Aspirin. Heutzutage kann man hierzulande nur welches kaufen, wenn man in die Apotheke geht.

Sobald man in Deutschland achtzehn Jahre alt ist, kann man genug harten Schnaps kaufen, um ein Pferd umzubringen, und zwar in jedem Lebensmittelladen, Kiosk und an jeder Tankstelle des Landes. Aber Bürgern jeden Alters wird jegliche Fähigkeit abgesprochen, ihre Kopfschmerzen selbst zu kurieren. Man kann seine gedrückte Laune mit so viel *Kleinem Feigling* behandeln, wie man sich leisten kann – und er ist rund um die Uhr zu haben –, aber die Betäubung von Zahnschmerzen muss bis zu den normalen Geschäftszeiten warten, oder man muss zu der Apotheke fahren, die gerade Notdienst hat und für Fälle wie diesen geöffnet ist. Oder vielleicht für eine verzweifelte Lage, die nach Hustensaft verlangt.

Wenn in Deutschland die Sonne scheint

Für mich steht fest: Die absolut beste Zeit in Deutschland ist ein Sommertag, wenn die Sonne scheint: Okay, das kommt nicht allzu oft vor.

Allerdings kann das auch seine Vorteile haben. Tatsächlich versuchte sogar Gott selbst, alle Atheisten im Land von seiner Existenz zu überzeugen, indem er 2006 einen ganzen Monat lang die Sonne scheinen ließ, als Deutschland die Fußballweltmeisterschaft ausrichtete. Das war eine eindrucksvollere Demonstration als die Teilung des Roten Meeres.

Um etwas wirklich zu genießen, muss man das Gegenteil kennen. Auf jeden Sonnentag in Deutschland kommen zwei Tage, an denen der Himmel eine Mischung aus Grautönen ist und diesen steten Nieselregen absondert, in dem man sich kalt und trübsinnig fühlt. Und das macht die Sonnentage umso schöner. In Deutschland nimmt man Sonnenschein nie als selbstverständlich hin; man muss jeden einzelnen Strahl würdigen. Das Gefühl eines warmen, sonnigen Sommertags in Deutschland weckt bei uns Amerikanern endlich Verständnis für diesen seltsamen Science-Fiction-Film, den wir uns als Kinder ansehen mussten – über die Kinder, die auf der Venus aufwuchsen, wo die Sonne nur alle sieben Jahre eine Stunde lang scheint.

An sonnigen Tagen kann man die schöne, üppige grüne Landschaft genießen: von verblüffenden Alpenblicken bis zu gelben Rapsfeldern. Gigantische Windräder, die arbeiten, um unseren Planeten durch Biokraftstoff und saubere Elektrizität zu retten. Straßen voller Motorräder und Bürgersteige voller Familien mit Fahrrädern oder Rollschuhen, die alle freudestrahlend ihr Glück genießen. Selbst der Typ, der sich normalerweise beim Vorübergehen nicht einmal die Zeit nimmt, einen anzugrunzen, wird eine freundliche Bemerkung über den schönen Tag machen.

Als Fremdem fiel mir natürlich auf, dass die Deutschen manches anders machen, wenn es warm und sonnig ist.

Beispielsweise besitzen die Deutschen keine Shorts, außer zum Fußballspielen. Wenn also die Sonne hervorkommt und ein Deutscher beschließt, sich in den Park zu legen, wird er zunächst einmal sieben Lagen Kleidungsstücke überziehen, bis er seinen Bräunungsort erreicht, wo er sechseinhalb Lagen wieder auszieht.

Unsere Vorstellung, man solle im Sommer in Flip-Flops, Shorts und T-Shirts herumlaufen, ist den Deutschen vollkommen fremd; sie verlassen das Haus nie ohne lange Hose und Jackett. Vielleicht ist dies eine Nebenwirkung des Umstandes, dass viele Deutsche so schlimme Kreislaufprobleme haben und sie sich deshalb an solchen Tagen krankmelden müssen.

Warum es in Deutschland immer regnet

Dass es in Deutschland ständig bedeckt und regnerisch ist, hat einen ganz einfachen Grund: Wenn die Deutschen ihren Teller nicht leer essen, scheint am nächsten Tag nicht die Sonne. Es ist gar nicht so einfach, achtzig Millionen Deutsche dazu zu bringen, am selben Tag ihren Teller völlig leer zu essen – ganz zu schweigen von all den Touristen, die die Regeln nicht kennen.

Wenn man also in Deutschland in ein Restaurant geht, sollte man auch als Ausländer darauf achten, den Teller völlig leerzuputzen – nicht nur, weil man kein *doggie bag* bekommt, sondern auch, weil sonst die Kellnerin kommt und einen ausschimpft, weil man nicht aufgegessen hat. Obwohl man noch voll ist vom großen Frühstück im Hotel mit frisch gebackenen Brötchen und Aufschnitt oder köstlichen Butterbrezeln, ist man gezwungen, seine Mahlzeit aufzuessen, denn sonst muss die Kellnerin ihr Trinkgeld fürs Sonnenstudio ausgeben, weil morgen schon wieder nicht die Sonne scheint.

Deutsche Kinder dürfen alles

Wenn man in Deutschland an einem Freitagabend durch einen Park geht, sieht man bestimmt eine Gruppe junger Teenager auf dem besten Wege zu völliger Trunkenheit, und es wird einem auch auffallen, dass keiner der vorbeikommenden Erwachsenen sie auch nur eines zweiten Blickes würdigt. Das liegt daran, dass die Deutschen ihren Kindern Dinge gestatten, die Amerikaner nicht im Traum zulassen würden.

Die Deutschen haben kürzlich beschlossen, es sei keine gute Idee, Zigarettenautomaten für jedermann zugänglich aufzustellen – besonders wenn derjenige nur neunzig Zentimeter groß und noch Jahre entfernt vom gesetzlich erlaubten Kippen-Qualm-Alter ist. Das heißt aber nicht, dass man keine Gruppe Kinder sehen kann, die kaum bis zur Verkaufstheke reichen und im nächsten Rewe-Markt in Viererteams arbeiten, um einen Bierkasten zu tragen, und ihr Geld zusammenlegen, um die zehn Euro dafür zu bezahlen.

Zwar machen sich deutsche Eltern kaum Sorgen um die Sicherheit ihrer Kinder, aber die deutsche Regierung bemüht sich um den Schutz ihrer zukünftigen Steuerzahler. Deshalb müssen deutsche Kinder noch ein paar

Jahre, nachdem ihre Eltern ihnen das Rauchen erlaubt haben, Kindersitze benutzen. »Luca, setz dich wieder in den Kindersitz! Und ich habe dir schon tausendmal gesagt, du sollst den Aschenbecher benutzen!«

Kinder haben nicht nur Gelegenheit, im Radio schmutzige Wörter zu hören und unanständige Körperteile im normalen Fernsehprogramm zu sehen, sondern lesen auch in der Zeitschrift *Bravo*, die sie abonniert haben, seit sie elf sind, detaillierte Anweisungen, wie man Dinge tut, die nur Verheiratete tun sollten.

Nix da mit Anstandsdamen beim Schulball! Deutsche Teenager hängen zum Vorglühen auf dem Parkplatz gegenüber der Disco rum, um Geld für die Heimfahrt im Bus zu sparen.

Deutsche Kinder dürfen allein überall hinfahren – sogar völlig unbegleitet in den U-Bahnen der größten Städte. Es gibt keine knallgelben Schulbusse mit blinkenden Lichtern, die den gesamten Verkehr auf beiden Straßenseiten aufhalten; Schulkinder müssen sich allein durchschlagen, wenn sie das Schulgelände verlassen. Einige dürfen sogar ohne Knieschützer und Helm Fahrrad fahren.

Einer der dramatischen Orte, an denen deutsche Eltern ihre Kinder tun lassen, was immer sie wollen, ist der Sportplatz. Deutsche Eltern stehen nicht am Spielfeldrand und schreien ihre Kinder an, beim Fußball heftiger zu treten und schneller zu rennen, sondern lassen sie einfach so spielen, wie ihnen zumute ist.

Die Deutschen benutzen ihr Fahrrad als Verkehrsmittel

Was Fahrräder angeht, haben die Deutschen eine fundamental andere Einstellung als die Amerikaner. Deutsche benutzen ihr Fahrrad, um irgendwo hinzufahren, während Amerikaner irgendwo hinfahren, um ihr Fahrrad zu benutzen.

Wenn wir Fahrrad fahren wollen, haben wir zwei Möglichkeiten. Entweder steigen wir ins Auto und fahren ins Fitnessstudio bzw. *gym*, wo die Fahrräder vor einer Reihe von Fernsehgeräten aufgestellt sind, oder wir laden das Fahrrad aufs Auto und fahren an einen abgelegenen Ort, um eine Tour zu machen und unsere Gangschaltung mit der anderer Radfahrer zu vergleichen. Dabei müssen wir natürlich darauf achten, dass wir farbenfrohe Rennkleidung, spezielle Radfahrerschuhe und einen superaerodynamischen Helm tragen.

Die Deutschen hingegen kommen aus der Tür, steigen aufs Rad und fahren damit irgendwohin.[11]

---

[11] Die Amerikaner sind fassungslos, dass die Deutschen überallhin mit dem Fahrrad oder zu Fuß gelangen. Die Deutschen sind fassungslos, dass die Amerikaner selbst für den Weg zum Briefkasten oder auf die andere Straßenseite das Auto nehmen. Die Amerikaner wundern sich, wie dünn die Deutschen sind. Die Deutschen wundern sich, wie dick die Amerikaner sind. Könnte man hier womöglich einen Zusammenhang konstruieren? d.Ü.

Die Deutschen gewinnen, selbst wenn sie verlieren

In Amerika sagen wir, der zweite Platz ist der erste Verlierer, und wenn wir nicht gewinnen, sehen wir uns nach einem anderen Sport um, in dem wir Champion werden können, und wenn wir keinen finden, erfinden wir einen.

Die Deutschen hingegen feiern ihre Niederlagen und erklären sich zu »Siegern der Herzen«, selbst wenn ihre Mannschaft vernichtend geschlagen wird. Und wenn sie Dritte werden, nennen sie das »ein Märchen«. Der zweite Platz muss für sie daher schon an ein Wunder grenzen.

Die Deutschen fragen sich, warum die Amerikaner glauben, alle Deutschen liebten David Hasselhoff

Alle Deutschen lieben David Hasselhoff, das ist kein Geheimnis. Das wahre Geheimnis ist: Warum tun sie alle so überrascht, wenn sie merken, dass die Amerikaner alles über diese Liebe wissen?

Der Hoff hat Dinge gemacht, die jeder liebt. Er war der Star von *Knight Rider*, was für einen Mann eigentlich schon reichen sollte, aber seine Karriere war damit nicht beendet. David war außerdem Star in *Baywatch*, einer Fernsehsendung, in der Menschen im Bikini in Zeitlupe rannten. Hasselhoff war sogar der Grund für den Fall der Berliner Mauer. Das ist eine verdammt große Leistung für einen einzigen Mann.

Was die Liebe der Deutschen zu David Hasselhoff von der Bewunderung der restlichen Welt unterscheidet, ist der Umstand, dass die Deutschen tatsächlich Hasselhoffs Platten kauften. Der Rest der Welt weiß dagegen überhaupt nicht, dass er Musik machte.

Es ist an der Zeit, dass die Deutschen aufhören, so zu tun, als hätte es die Achtziger nie gegeben, und die Berechtigung dieses Klischees eingestehen.

III

ESSEN UND TRINKEN

Besonders charakteristisch für ein Land und seine Bewohner ist, was und wie gegessen und getrunken wird. In diesem Kapitel werden die kulinarischen Aspekte der Deutschen erforscht, und es findet sich die Antwort auf die Frage, warum wir in Amerika trotz unseres überwältigenden deutschen Erbes kein deutsches Essen zu uns nehmen.

Die Deutschen müssen exakt eine warme Mahlzeit pro Tag essen

Ich weiß nicht genau, was einem Deutschen passieren würde, falls er versehentlich zwei warme Mahlzeiten an einem Tag zu sich nähme, bin aber sicher, dass die Auswirkungen total verheerend wären. Schließlich achten doch alle Deutschen darauf, jeden Tag exakt *eine* warme Mahlzeit zu sich zu nehmen.

Wenn man zum Beispiel mit seinen Kollegen in der Kantine isst, sieht man, wer verheiratet ist, denn der nimmt sich einen Salat und ein Brötchen und erinnert einen daran, dass er eine Frau zu Hause hat, die ihm abends »noch etwas Warmes« zubereitet. Selbst wenn die Kantine sein warmes Leibgericht anbietet, muss der Deutsche daran denken, dass seine Frau später kocht, und er kann nicht die Kardinalregel verletzen, nie, nie, nie und unter keinen Umständen an einem einzigen Kalendertag zwei Mahlzeiten über Zimmertemperatur zu essen.

Hundert Prozent der Deutschen
hassen root beer

Die Deutschen finden, dass es wie Hustensaft schmeckt, dabei ist *root beer*[12] in Wirklichkeit köstlich.

In Amerika genießen wir die unschlagbare Mischung von *root beer* und Vanilleeis, das köstliche *root beer float*. Für einen Deutschen ist das der schlimmste Albtraum: eine Kombination von viel zu süßem, fetten Eis, das in einem See von Medizin schwimmt.

Die Deutschen hassen Süßes, mit Ausnahme von Popcorn. Diese Irren tun Zucker auf ihr Popcorn statt Salz und Butter, wie Gott es gewollt hat.

Was Süßigkeiten angeht, wird ein Deutscher in Amerika dieselbe Erfahrung machen wie ein Amerikaner in Deutschland. Der Ausländer erblickt in einer Bäckerei ein lecker aussehendes Stück Kuchen, möchte es voller Vorfreude probieren und stellt zu seiner Enttäuschung fest, dass der Kuchen völlig anders schmeckt. Der Kuchen in Amerika ist viel zu süß, und der Kuchen in Deutschland sieht zwar toll aus, aber ihm geht völlig dieser süße Kuchengeschmack ab, den der ganze Rest der Welt liebt.

---

[12] Das Wörterbuch definiert *root beer*, ohne Angabe einer Übersetzung, als »colaartiges alkoholfreies Getränk aus verschiedenen Wurzelsorten« – und es gibt Hustensaftsorten, die erheblich besser schmecken. d.Ü.

Alle Deutschen sind verrückt nach Spargel

Die Deutschen haben eine spezielle Saison von Ende April bis Ende Juni: die Spargelzeit. Obwohl Spargel eigentlich nicht gut schmeckt, essen die Deutschen dieses geschmacklose weiße Zeug, übergossen mit Sauce Hollandaise oder Buttersauce, zusammen mit Kartoffeln (Die Deutschen essen natürlich alles mit Kartoffeln!) und Schnitzel oder Schinken oder – wenn sie es ganz besonders schick mögen – vielleicht mit Lachs.

Als ich während der Spargelsaison in Deutschland arbeitete, war ich der Einzige, der in der Kantine etwas anderes aß. Mein legitimer Ausweg, um keinen Spargel essen zu müssen, bestand darin, in dieser Zeit zu jeder Mahlzeit Schweinefleisch in irgendeiner Form zu mir zu nehmen – wie es die Deutschen normalerweise zu jeder anderen Jahreszeit tun.

Fast die einzige Zeit, zu der es in Deutschland All-you-can-eat-Angebote gibt, ist die Spargelsaison. Dann rotten sich die Deutschen zusammen, um sich für zehn bis fünfzehn Euro mit so viel Spargel vollzustopfen, wie sie essen können. In Amerika würde so etwas natürlich nie funktionieren, weil wir für ungefähr ein Drittel des Geldes so viel chinesisches Essen bekommen, wie wir essen können, was nicht nur tatsächlich gut schmeckt, sondern auch nicht zur Folge hat, dass wir hinterher in Ohnmacht fallen, wenn wir pinkeln gehen.

Die Deutschen verunreinigen ihr Bier

Amerikaner und Deutsche trinken gerne Bier, aber wir alle hassen den Geschmack.

Deshalb kühlen wir es in Amerika bis fast auf den Gefrierpunkt hinunter, damit es unsere Geschmacksknospen betäubt, während wir es herunterwürgen. Miller Lite bei einem Grad Celsius ist das perfekte Bier, weil es selbst bei Zimmertemperatur nahezu geschmacklos ist.

Die Deutschen sind im Bierbrauen auch ziemlich gut. Aber da sie ihre Umwelt so sehr lieben, weigern sie sich, Energie darauf zu verwenden, das Bier unseren Ansprüchen entsprechend zu kühlen. Stattdessen besitzen die Deutschen die Frechheit, Sachen in ihr Bier hineinzumixen, um es genießbarer zu machen. Die Deutschen haben ein Biergesetz, das Reinheitsgebot, das aus dem Jahr 1516 stammt und in dem steht, dass Bier aus nichts anderem als Wasser, Gerste und Hopfen bestehen darf. Seitdem haben die Deutschen dieses Gesetz auf folgende Weise missachtet:

Das *Radler* (auch als *Alster* bekannt) ist die verbreitetste und am wenigsten abstoßende Biermischung. Sie besteht aus einer Mischung eines Hellen oder Pils und *Schprite* (oder irgendeiner anderen Zitronenlimonade).

Das ergibt ein bittersüßes Getränk, das an warmen Sommertagen recht erfrischend schmeckt.

Die *Russnmaß* treibt den Verstoß gegen das Reinheitsgebot eine Stufe weiter. Sie besteht aus einer Mischung aus Weißbier und Zitronenlimo. (Hier eine Anekdote: Als ich mich entschlossen hatte, eine Kuckucksuhr zu kaufen, und in den Schwarzwald fahren musste, machte ich den Fehler, in Baden-Württemberg ein *Weißbier* zu bestellen. Die Kellnerin stutzte und fragte mich, ob ich *Hefeweizen* meinte – obwohl auf der Flasche groß und deutlich *Weißbier* stand. Die Schwäbin erwiderte, das liege daran, dass es bei ihnen auch ein Bier namens *Kristallweizen* gebe und sie nur sichergehen wolle, ob sie mich richtig verstanden habe. Ich weiß aber, dass es einfach daran liegt, dass die Deutschen sich ständig bemüßigt fühlen, einen zu verbessern.)

Bananenweizen oder *Kirschweizen* (alias *Heba* und *Heki*) sind eine Mischung aus Weißbier und Bananenbeziehungsweise Kirschsaft. Weißbier hat an sich schon einen leichten Bananengeschmack, daher scheint es natürlich, es mit Bananensaft zu mixen. Man sollte es trotzdem nicht tun. Es ist abscheulich. Stattdessen sollte man sich einfach freuen, dass es überhaupt so etwas wie Bananensaft gibt. Er schmeckt doch gut. Daher sollte man ihn nicht ruinieren. Von der hässlichen Schwester Kirschweizen will ich hier gar nicht weiter reden …

Berliner Weisse Waldmeister schießt den Vogel ab, wenn es um die absolut übelste Idee geht, die in Deutschland jemals in die Tat umgesetzt wurde. Meine Devise: Halte dich weit, weit fern von diesem Bier mit *Jello*-Geschmack.

Die Deutschen können keine Sandwiches machen[13]

Die Deutschen sagen oft, die Amerikaner hätten keine Ahnung vom Brotbacken. Das mag sein, aber ihr eigenes tragisches Manko ist viel schlimmer: Die Deutschen können keine Sandwiches machen.

Im Lauf der Jahre haben die Deutschen gelernt, Hamburger zu essen, und betreiben amerikanische Hamburger-Restaurants, um Zugang zu unseren kostbaren Burger-Rezepten zu bekommen. Und jetzt gibt es in Deutschland sogar Subway – die mittelmäßigste aller Fast-Food-Ketten –, weil die Deutschen sich verzweifelt bemühen, das Basiswissen für die Kreation von Deli-Köstlichkeiten zu erlangen.

Da es wirklich keinen Grund gibt, ihnen die wesentlichsten Elemente vorzuenthalten, zögere ich nicht, die Geheimnisse unseres Sandwich-Erfolges mit meinen

---

[13] Die Deutschen behaupten doch gar nicht, Sandwiches zu »können«. Sie machen Butterbrote, die – wie der Name schon sagt – aus Brot und Butter bestehen, der Rest ist optional. Das Sandwich dagegen ist keine amerikanische, sondern eine englische Kreation. Der Earl of Sandwich soll es erfunden haben, um sich zum Essen nicht vom Spieltisch wegbewegen und sich nicht die Finger schmutzig machen zu müssen. Insofern ist beim amerikanischen Sandwich einiges aus dem Ruder gelaufen. d.Ü.

deutschen Freunden zu teilen. Im Grunde läuft alles auf zwei Hauptaspekte hinaus:

1. Sandwiches bestehen aus mindestens zwei Lagen Brot. Zwei sind die Norm, ein gewagteres Club Sandwich besteht sogar aus drei Lagen. Die Deutschen machen ihre Sandwiches häufig mit nur einer Brotlage. Das ist nicht korrekt.
2. Sandwiches bestehen aus Fleisch und Käse. Zwar gibt es viele bekannte Ausnahmen von dieser Regel, in Deutschland hat jedoch noch nie jemand ein Sandwich mit Fleisch *und* Käse gemacht. Es scheint fast, als behandelten die Deutschen Käse wie eine eigenständige Fleischart, die ein eigenes Sandwich verdient. Das einzige nur aus Käse bestehende Sandwich ist das gegrillte Käsesandwich, und das gibt es in Deutschland nicht.

Eines jedoch machen die Deutschen gut: Sie garnieren ihre Sandwichversuche immer mit Gurken. Das ist so ziemlich das Einzige, was wir von den Deutschen lernen sollten (vom Autobau einmal abgesehen).

Sonne und Eis

Jeder Deutsche muss jedes Mal, wenn die Sonne scheint, Eis essen gehen. Es kann Februar sein und draußen zwei Grad Celsius, aber wenn es nur einen Hauch von Sonnenschein gibt, muss man sich auf lange Schlangen vor dem Eiscafé gefasst machen. Obwohl der Anblick von Menschen in Parkas, die gefrorene Milch essen, an sich schon lächerlich ist, kann man ihn in jeder deutschen Stadt erleben – falls die Sonne jemals an einem Sonntag scheint.[14]

---

[14] Das hat einen ganz einfachen Grund: In Deutschland gibt es an jeder zweiten Straßenecke eine italienische Eisdiele, an deren köstlichen Versuchung man nur schwer vorbeikommt. Bei uns machte nämlich jeder zweite italienische Immigrant eine Eisdiele auf. In den USA hingegen geht jeder zweite italienische (und irische) Immigrant zur Polizei. Daher gehören amerikanische Polizisten zu den bestaussehenden der Welt, was den herben kulinarischen Verlust allerdings nicht ganz aufwiegen kann. d.Ü.

Die Deutschen besitzen MacGyver-artige Fähigkeiten beim Öffnen von Bierflaschen

Wie bereits erwähnt: Die Deutschen hassen Bequemlichkeit.

Obwohl Deutschland im Gegensatz zu Amerika eine bargeldorientierte Gesellschaft ist – wir benutzen Geld- und Kreditkarten für jeden Betrag über neunundvierzig Cent –, gibt es in Deutschland keine Geldautomaten, an denen man mit dem Auto vorfahren kann. Die einzigen Drive-throughs in Deutschland heißen nämlich McDrive.

Der deutsche Hass auf Bequemlichkeit begegnet einem auch beim Lebensmitteleinkauf, bei dem die Kassiererin sämtliche Lebensmittel auf einen großen Haufen schmeißt, den man dann selbst einpacken muss, während man ihn gleichzeitig zu bezahlen versucht und hinter einem eine lange Schlange ungeduldiger Kunden mit den Füßen scharrt.

Der eindeutigste Beweis für den deutschen Hass auf Bequemlichkeit ist aber der Umstand, dass es keine Schraubverschlüsse an Bierflaschen gibt, wie sie schon seit siebenundvierzig Jahren in Amerika verwendet werden. Stattdessen müssen die Deutschen neue Talente beim Öffnen ihrer Bierflaschen entwickeln, da ein Flaschenöffner nicht immer zur Hand ist.

Hier eine Auswahl der Methoden, wie Deutsche ihre Flaschen öffnen können:

Der Klassiker: Da siebenundachtzig Prozent aller Deutschen rauchen, besteht eine nahezu hundertprozentige Chance, dass sich in einer Gruppe von drei oder mehr Personen ein Feuerzeug finden lässt. Mit Hilfe dieses Feuerzeugs umfassen die Deutschen den Flaschenhals fest mit einer Hand und öffnen mit der anderen und dem unteren Ende des Feuerzeugs den Deckel in einer Hebelbewegung, die allen Deutschen angeboren ist, da sie genetisch prädisponiert für mechanische Geschicklichkeit sind.

Bevor ich in die Staaten zurückkehrte, habe ich diese Technik erlernt und konnte meine Freunde damit verblüffen – sie funktioniert nämlich auch bei Schraubverschlüssen.

Ist die Tat vollbracht, gibt es die Möglichkeit, den Deckel entweder spaßeshalber durch die Luft fliegen zu lassen oder ihn einfach sanft aufzuhebeln, um Verletzungen zu vermeiden.

Der Tischler: Die meisten Deutschen sind in der Lage, den Deckelrand mit einer Hand im Winkel von neunzig Grad an eine harte Oberfläche zu halten und mit der anderen auf die Flasche zu schlagen, um den Kronkorken zu entfernen.

Das funktioniert nur in dreißig Prozent der Fälle, also besteht eine siebzigprozentige Chance für Handverletzungen und/oder Kratzer im Material.

Der Doppeldeckler: Dies ist eine Technik mit beschränkten Anwendungsmöglichkeiten, da zwei Flaschen erforderlich sind. Sobald sie beim letzten Bier angekommen sind, müssen die Deutschen auf andere Strategien zurückgreifen. Die Technik besteht darin, eine Flasche in entgegengesetzter Richtung zur anderen zu bewegen und mit einem Deckel den anderen aufzuhebeln.

Trotz ihrer eingeschränkten Anwendungsmöglichkeiten ist dies eine stilvolle, eindrucksvolle Nummer. *Der Zahnarzt:* Junge deutsche Männer haben eine Methode, Flaschen mit den Zähnen aufzumachen. Ich weiß nicht wie oder warum, empfehle jedoch, diese Methode zu meiden.

Einige kleinere deutsche Brauereien, wie *Flensburger*, machen einen sehr schicken Verschluss, bei dem man nur gegen einen Bügel drücken muss, damit durch eine mechanische Konstruktion der Verschluss aus der Flasche ploppt, sodass man weder eine der oben beschriebenen Techniken anwenden noch seine zarten Hände mit einem Schraubverschluss ruinieren muss. Da die Deutschen jedoch jede Bequemlichkeit verabscheuen, sind diese Flaschen äußerst unbeliebt.

Die Deutschen haben hundertsiebzehn Zubereitungsarten für Kartoffeln, aber nur eine Sorte Chips

Die Kartoffel ist zwar eine amerikanische Erfindung, aber die Deutschen haben sie sich als wesentlichsten Bestandteil ihrer Küche einverleibt. Das gängige Klischee stellt die Deutschen als ewig wurstverschlingende Leute dar, in Wahrheit jedoch lieben sie aufrichtig Kartoffeln.

Wenn man in einer deutschen Firma arbeitet, wird man bald merken, dass Kartoffeln in der Kantine jeden Tag in irgendeiner Form auf der Speisekarte stehen müssen, aber ein ganzer Monat verstreichen kann, ohne dass sie unter demselben Namen aufgetischt werden. Die Woche könnte zum Beispiel mit Salzkartoffeln anfangen, dann folgen Kartoffelpüree, Rösti mit Apfelsauce, Kartoffelpuffer, Pommes und Kartoffelecken – um nur einige wenige Varianten zu nennen.

Das wirklich Seltsame an den Deutschen jedoch ist, dass sie Chips nur mit Paprikageschmack essen.

In Amerika haben wir Chips in den Geschmacksrichtungen *Nacho Cheese*, *Hot Wings* und *Blue Cheese*, *Zesty Taco* und *Chipotle Ranch*, *Cool Ranch*, *Fiery Habanero*, *Salsa Verde*, *Smoking Cheddar BBQ*, *Spicy Nacho* und *Spicy Sweet Chili* – um nur die Sorten *einer einzigen* Marke aufzuzählen.

Deutsche Marketing-Fuzzis haben in den letzten Jahren gemerkt, dass es einen hohen Anteil an Ausländern gibt, denen sie nun ein paar Alternativen zu Paprika-Chips anbieten. Für echte Deutsche jedoch ist und bleibt Paprika die einzig wahre Geschmacksrichtung.

Das andere Gebiet, auf dem die Deutschen traurige Versager sind, sind Softdrinks. In Deutschland gibt es Cola, Fanta, Mezzo Mix, Cola light und Sprite. In einigen Regionen findet man das österreichische Nationalgetränk Almdudler oder das schweizerische Rivella. Und das ist alles.

Vielleicht entdeckt man in Deutschland irgendwo Dr. Pepper, wenn man lange und intensiv sucht, und in besseren Lebensmittelläden gibt es gelegentlich nachgemachtes *root beer*, aber man hat große Mühe, Sierra Mist, Mountain Dew, Diet Vanilla Cherry Coke, Black Cherry Vanilla Coke, Crush, Cheerwine, Cream Soda, Diet Rite, Fresca, Jolt, Mellow Yellow, Nehi, R.C., Slice oder irgendeine Sorte Shasta zu finden.

Tatsächlich hat jeder ernstzunehmende Lebensmittelladen in Amerika eine Chips- und Soft-Drink-Abteilung, die mehr Quadratmeter hat als der durchschnittliche deutsche Aldi insgesamt. Aus diesem Grund vergesse ich nie, meine deutschen Bekannten darauf hinzuweisen, dass in Amerika alles größer und deshalb besser ist.

IV

ALS AMI IN DEUTSCHLAND

Wir kommen zwar aus dem Land der unbegrenzten Möglichkeiten, aber das heißt nicht, dass wir Amerikaner nicht auch an unsere Grenzen stoßen können. Leben in einem fremden Land gehört ab und an dazu …

Es ist okay, ein Ami zu sein

Wenn man als Amerikaner nach Deutschland zieht, muss man damit rechnen, als *Ami* bezeichnet zu werden, von seinen Landsleuten als *den Amis* reden zu hören und von seinem Land als *Amiland*. Ich habe schnell gelernt, mich davon nicht aus der Fassung bringen zu lassen. So reden die Deutschen nun einmal, in einer Art, die entweder liebevoll oder respektlos ist oder von jedem etwas. Wenn man Michael heißt, wird man Michi gerufen, aus Helmut wird Heli, aus Schweinsteiger Schweini – und aus dem Amerikaner eben der Ami. Das ist nur natürlich.

Da die Deutschen es mit der politischen Korrektheit sogar noch genauer nehmen als wir, fühlen sie sich bemüßigt, den sperrigen Begriff *US-Amerikaner* zu gebrauchen, um uns von Kanadiern und den anderen Ländern auf diesem Kontinent zu unterscheiden, obwohl diese Typen sich selbst nie als Amerikaner bezeichnen würden und niemand die Bewohner dieser Länder mit dem Sammelbegriff *Amerikaner* belegen würde. Mit dem Begriff *Ami* jedoch können sich die Deutschen vier Silben und einen Bindestrich sparen.

Ist das Wort *Ami* allerdings zusätzlich mit einer Vorsilbe versehen, sollte man als Amerikaner wissen, dass es abfällig gemeint ist. Dann ist es okay, aus der Fassung zu geraten.

Anpassung

Wir Amerikaner wissen, dass wir im Moment überall auf der Welt ein ziemlich lausiges Stigma haben, und in Deutschland ist es kaum anders.[15] Deshalb nähen wir kanadische Flaggen auf unsere Rucksäcke, um im Ausland besser akzeptiert zu werden.

Eine andere Methode, unter dem Radar durchzuschlüpfen, ist die, auf jeden Fall seine weißen Socken zu Hause zu lassen. Ist das schon in Amerika nicht wirklich cool, ist es in Deutschland ein absolutes No-Go.

---

[15] Wer als Amerikaner in Deutschland nicht auffallen möchte, sollte außerdem darauf achten, knapp unter Zimmerlautstärke (statt erheblich über Saallautstärke) zu sprechen und nicht an jeder Straßenecke »Oh my God« auszurufen. d.Ü.

Sweep Week

Falls man als Ausländer in Deutschland leben muss, sollte man in Bayern leben. Wenn man nicht in Bayern leben kann, sollte man eben irgendwo nördlich davon leben. Aber um jeden Preis sollte man vermeiden, in Baden-Württemberg zu leben, weil man sonst gezwungen ist, mit der gefürchteten *Kehrwoche* zu leben. (Für dieses Wort gibt es noch nicht einmal eine englische Übersetzung, denn keine andere Kultur würde sich freiwillig diese Absurdität antun.)

Falls man gezwungen ist, unter Schwaben zu leben, kommt man vielleicht in Versuchung, in einem Mehrfamilienhaus zu wohnen, um Geld zu sparen, und glaubt, es sei so ähnlich wie in einem Apartment in Amerika. Dies ist nicht der Fall, denn in Schwaben wechseln sich die Familien mit dem Fegen, Wischen, Fensterputzen, Garage-Aufräumen, Gartenarbeit verrichten oder jeder anderen Arbeit ab, die in zivilisierten Gesellschaften im Mietpreis inbegriffen sind. Diese Kehrwoche ist für die Schwaben perfekt, weil sie so nicht nur das Geld für die Putzfrau oder Wartungsfirma sparen, die sonst die Gemeinschaftsräume instand halten müssten, sondern auch Gelegenheit haben, über die Qualität der von den Nachbarn geleisteten Arbeit zu lästern, was dazu dient, dem lokalen Klatsch eine dringend benötigte Klagenote hinzuzufügen.

Als ich einmal in einer solchen Kehrwoche-Situation landete, fand ich folgenden Zettel an meiner Tür, der alle Klischees über die Schwaben bestätigte:

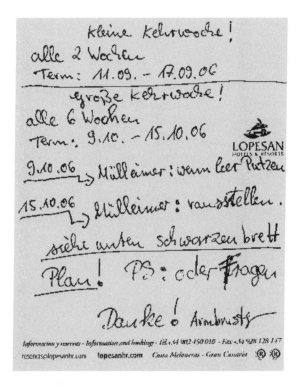

Dieser Zettel fungiert als fast freundliche Erinnerung, dass alle darin enthaltenen Informationen irgendwo anders im Haus aushängen. Also habe ich mir offenbar nicht genügend Mühe gegeben, die Regeln einzuhalten. So was aber auch!

Besonders interessant fand ich die Information, dass es eine kleine und eine große Kehrwoche gibt. Das bedeutete für mich, manchmal nur meine Etagennachbarn, manchmal jedoch das ganze Haus mit einer Putzarbeit, die nicht deren Anforderungen entsprach, enttäuschen zu müssen. Vielleicht lag es daran, dass mir die Vorstellung missfiel, eine Mülltonne zu putzen, die von zwanzig anderen Fremden benutzt wurde, so wie es vorgeschrieben war.

Ein weiterer interessanter Aspekt des Zettels ist der, dass man im Voraus mit Ausrufezeichen dankt (= Befehl) und die Notiz auf Papier geschrieben ist, das aus einem tropischen Urlaubshotel gestohlen ist und so die Klischees über die Schwaben weiter bestätigt.

Wenn man sich also nicht von Nachbarn herumkommandieren lassen will, die nicht einmal wissen, ob ein Verb in ihrer eigenen Sprache groß oder klein geschrieben wird, sollte man einen großen Bogen um Baden-Württemberg machen.

Die Deutschen essen 1,7-mal schneller als die Amerikaner

Die Deutschen sind die Effizienzkönige, und das erstreckt sich auch auf den Bereich der Essensaufnahme. Wenn man in Deutschland in einer großen Firma arbeitet, kann man höchstwahrscheinlich in einer Kantine essen, in der es tolle subventionierte Mahlzeiten gibt. Da die Deutschen so wenig Zeit wie möglich am Arbeitsplatz verbringen wollen, beschränken sie ihre Mittagspause auf exakt fünfundvierzig Minuten. Das heißt, man hat fünfundvierzig Minuten Zeit, um vom Büro zur Kantine zu gehen, sich ein leckeres Essen und ein winziges Getränk ohne Eis (und ohne kostenloses Nachfüllen) servieren zu lassen und über die letzte Folge der Auswanderungs-Reality-Show zu reden oder über ein Fußballspiel oder darüber, was geschehen wäre, wenn eine Schlacht in einem fünfundneunzig Jahre zurückliegenden Krieg anders ausgegangen wäre. Danach muss man sein Geschirr zurückstellen und sich auf den zehnminütigen Fußmarsch zurück ins Büro machen.

Wenn man die Gehzeit und die Zeit zum Bezahlen des Mittagessens abzieht, bleiben einem tatsächlich nur rund zehn Minuten, das Essen zu verzehren und gleichzeitig eine Reality Show, ein Fußballspiel und einen alterna-

tiven Ausgang eines historischen Ereignisses zu diskutieren.

Als Amerikaner ist man damit völlig überfordert. Eigentlich sollte man gar nicht erst versuchen, am Gespräch teilzunehmen, sondern sich ausschließlich darauf konzentrieren, so schnell wie nur möglich zu essen.
Dabei haben wir Amerikaner aus den folgenden beiden
Gründen schlechte Karten:

1. Wir beherrschen die supereffiziente deutsche Ess-
   methode nicht, bei der man mit dem in der rechten
   Hand gehaltenen Messer alles auf die in der linken
   Hand befindliche Gabel schiebt. Die Deutschen lernen die exakte Methodologie der Teller-Gabel-Es-
   sensübertragung bereits im zarten Alter mit einem
   seltsamen Instrument namens *Schieber*. Mit der Zeit
   wird man vielleicht geschickter darin, die Gabel mit
   der linken Hand zu halten und Tempo zu gewinnen,
   aber ausreichen wird es nicht.

2. Man muss sich ständig anstrengen, sich an das grammatikalische Geschlecht jedes Substantivs zu erinnern, das man verwenden will, und dann überlegen,
   ob die Präpositionen, die man benutzen möchte, den
   Akkusativ, Dativ oder Genitiv erfordern. Dann muss
   man in einer Tabelle in seinem Kopf, die man in der
   Deutschstunde gelernt hat, das Geschlecht mit dem
   Fall abgleichen, um den erforderlichen bestimmten
   Artikel zu ermitteln, und schon hat man es fast geschafft. Nun muss man nur noch die zum bestimmten Artikel passende Adjektivendung herausfinden,
   und der Satzteil, den man sagen will, ist fertig. Dann

braucht man nur noch zu überlegen, wo die Verben im Satz hingehören, und sie zu konjugieren. Ruckzuck ist man so weit, seinen Senf zu dem Gespräch dazuzugeben. Unglücklicherweise hat sich das Gespräch, bis man seinen witzigen Satz zur Reality Show im Kopf konstruiert hat, bereits der Bundesliga zugewandt.

Das hat nicht nur zur Folge, dass man zum ersten Thema kein einziges Wort beitragen konnte, sondern man hatt auch die ersten drei Minuten kostbarer Essenszeit vergeudet. Während man noch daran arbeitet, die Suppe auszulöffeln, haben die deutschen Kollegen bereits ihre Maultaschen verzehrt und sind bereit, sich auf den Nachtisch zu stürzen.

Dies ist wieder einmal einer jener Tage, an denen der einzige Beitrag zum Tischgespräch ein »genau« war und die Kollegen wieder einmal warten müssen, bis der lahme Amerikaner mit dem Essen fertig wird.

Fremde Wasser

Verschiedene Kulturen haben verschiedene Präferenzen, und das erste Zusammentreffen mit einer fremden Kultur könnte eine schlechte Erfahrung mit Wasser sein, weil Wasser etwas ist, das man als selbstverständlich voraussetzt. Man weiß, dass man, wenn man nach Ägypten oder Mexiko fährt und dort Wasser trinkt, wahrscheinlich mit Montezumas Rache gestraft wird. Deutschland jedoch ist ein einigermaßen zivilisiertes Land, also sollte man nicht erwarten, mit dem dortigen Wasser Probleme zu haben.

Falsch.

Die Deutschen trinken ihr Wasser fast immer aus der Flasche statt aus dem Wasserhahn, und es enthält in der Regel Kohlensäure. Falls die Deutschen zu Hause Leitungswasser trinken, haben sie meist eine Maschine, mit der sie es mit Kohlensäure anreichern.

Kein englisch sprechender Mensch würde allerdings jemals kohlensäurehaltiges Wasser trinken.

Bevor man als Amerikaner also in eine Situation gerät, in der man extremen Durst hat, muss man sich an kohlensäurehaltiges Wasser gewöhnen, sonst erwartet einen ein emotional belastendes Erlebnis, wenn man zur Flasche

greift, um seinen trockenen Mund nach einer Sportver-
anstaltung zu laben, und alles nur noch schlimmer macht,
weil einem die Kohlensäure den Mund verbrennt.

Die Deutschen stellen mittlerweile schwächer kohlensäurehaltiges Mineralwasser her, das man gemixt mit
kohlensäurefreiem Wasser trinken kann, um die amerikanische Immunität gegen diese sinnlose Verstümmelung
völlig einwandfreier Flüssigkeiten zu stärken.

Obwohl Deutschland mit Wasser reich gesegnet ist
(der Bodensee, die Isar, die Weser, die Oder, der Main,
der Neckar, der Rhein, die Elbe, die Donau und der Bag-
gersee), sehen die Deutschen Wasser als ein kostbares
Gut an. Sie haben keine Trinkbrunnen in Gebäuden oder
Parks. Im typischen Büro gibt es nicht einmal einen Was-
serkühler, sondern höchstens einen Automaten voller
Flaschen mit – natürlich! – kohlensäurehaltigem Wasser. Das Schlimmste ist aber, dass es im Restaurant nicht
einmal Wasser umsonst gibt; stattdessen ist Wasser neben der anderen künstlich verknappten Flüssigkeit in
Deutschland – Coca Cola – wahrscheinlich das teuerste
Getränk auf der Speisekarte.

Und dann besitzen die Deutschen, die nach Amerika kommen und Leitungswasser trinken, auch noch die
Frechheit und sagen voller Abscheu: »Bäh! Das schmeckt
nach Chlor.«[16]

---

[16] Das amerikanische Leitungswasser schmeckt nun mal nach Chlor, schlimmer, viel schlimmer, als wenn man sich im Schwimmbad verschluckt. Wer
in den USA vernünftiges Mineralwasser trinken möchte, bestellt ein *club
soda*. d.Ü.

Vorteile eines Auslandsstudiums
in Deutschland

Wir leben in einer zunehmend globalisierten, zunehmend homogenen Weltkultur, und für einen potenziellen Arbeitgeber wird ein Auslandssemester ein ausschlaggebender Faktor sein. Wenn man englischer Muttersprachler ist, ist der Ort, den man für seine sechsmonatige Horizonterweiterung auswählt, weitgehend irrelevant. Es kommt lediglich darauf an, dass man sich aus der Wohlfühlzone gewagt hat, um etwas Neues zu sehen. Deutschland ist meiner Meinung nach jedoch aus verschiedenen Gründen ein optimaler Ort für eine temporäre Heimat.

Der beste Grund, nach Deutschland zu gehen, ist der, den dortigen demokratischen Sozialismus auszunutzen. Es gibt eine Zeit, pro-sozialistisch zu sein, und eine Zeit, anti-sozialistisch zu sein, und die Zeit, pro zu sein, ist die, wenn man arm ist – der Normalzustand eines Studenten. Nehmen ist stets seliger denn geben. Wenn man als Student nach Deutschland geht, hat man Zugang zu einer fast kostenlosen Hochschulbildung[17], einem stark sub-

---

[17] Angesichts der enormen Studienkosten an amerikanischen Colleges muss Amerikanern das deutsche Universitätsstudium selbst trotz Studiengebühren als »fast kostenlos« erscheinen. d.Ü.

ventionierten Gesundheitswesen und einer Verkehrsinfrastruktur, mit der man auf Kosten anderer Leute überall im Land herumreisen kann. In Deutschland zu leben, nachdem man begonnen hat, richtiges Geld zu verdienen, macht weit weniger Spaß, weil man dann für all die Annehmlichkeiten zahlen muss, die man bislang genossen hat.

Ein weiterer guter Grund, für ein Auslandssemester Deutschland zu wählen, ist die Bürokratie, die das Erlangen einer Aufenthaltsgenehmigung kaum erschwert. Klar muss man diese Anmelden-Sache erledigen, bei der man dem Staat sagt, wo man wohnt, und vielleicht muss man einmal früh aufstehen und einen Tag in der Ausländerbehörde verbringen, um den Sechzig-Euro-Stempel in den Pass zu bekommen, aber wenn man bedenkt, was ein Deutscher durchmachen muss, um ein Visum für Amerika zu erhalten, dann wird einem schnell klar, dass diese Qual ein Spaziergang war.

Und schließlich ist ein Auslandsstudium in Deutschland eine tolle Möglichkeit, neue Leute aus den gesamten Vereinigten Staaten kennenzulernen. Als Amerikaner nimmt man höchstwahrscheinlich an einem englischsprachigen Unterrichtsprogramm teil und lernt Menschen von vielen verschiedenen amerikanischen Universitäten kennen. Das finde ich persönlich total klasse, weil man mit denen zusammen dann Europa entdecken kann und immer noch Gelegenheit hat, auf den langen Zugfahrten über Fantasy-Football zu reden.

Wie man in Deutschland eine Party schmeißt

Wenn man als Amerikaner nach Deutschland zieht, wird es vielleicht ein wenig schwierig, das Eis zu brechen und neue Freundschaften zu schließen.

Die beste Methode dazu besteht darin, eine Party für all die neuen Bekannten zu schmeißen.

Planung
Eine gute Party muss mindestens zwei Monate im Voraus geplant werden. Den Nachbarn sollte man Bescheid geben, dass es laut werden könnte, und die nächsten Nachbarn höflicherweise direkt mit einladen.

Essen
Falls man eine Frau ist, wird von einem erwartet, etwas Warmes und mindestens vier verschiedene Salate zuzubereiten und ständig Knabbereien bereitzustellen. Falls man ein Mann ist, muss man zumindest Salzstangen besorgen. Alles, was darüber hinausgeht, gilt als Übererfüllung des Solls, und als Mann wird man großes Lob für seine Bemühungen ernten.

Getränke

Man kann seine Freunde bitten, je eine Flasche mitzu-
bringen (besonders gut als Geschenkersatz bei Ge-
burtstagspartys), oder man kann ein Held sein und alles
selbst besorgen. Falls man eine Frau ist, muss man Bowle
anbieten – außer zur Weihnachtszeit, denn dann muss
man Glühwein machen oder sich einen Mann suchen,
der die Bowle in der Feuerzangen-Abart herstellt.

Dekoration

Von Männern über dreißig wird lediglich erwartet, ein
paar Bänke im Biergartenstil aufzutreiben, um Atmos-
phäre zu schaffen. Von Frauen wird erwartet, dass das
Verhältnis männlicher und weiblicher Gäste in etwa aus-
geglichen und der Partyort hübsch dekoriert ist.

Stimmung

Das Wichtigste an einer Party ist das, was die Deutschen
Stimmung nennen, nämlich die allgemeine Wohlfühlatmo-
sphäre der Party. Vor zehn Uhr abends wird es niemals
irgendeine Stimmung geben, und wenn bis elf Uhr keine
Stimmung aufkommt, wird sie sich auch nicht mehr ein-
stellen, und die Party wird als Flop gelten, als Verschwen-
dung eines schönen Freitag- oder Samstagabends für
alle Beteiligten.

Das entscheidende Element zum Schaffen von Stimmung ist die Musikauswahl. Es ist ein subtiler Prozess,
der zur allgemeinen Akzeptanz von schrecklicher alter
deutscher Musik führt. Falls man den Abend mit dem
Abspielen deutscher Schlager beginnt, wird niemand
auf der Party bleiben; endet die Party jedoch nicht mit

dem Abspielen deutscher Schlager, wird Ihre Party als Reinfall gelten. In Amerika will man seine Freunde häufig beeindrucken, indem man Musik von Bands spielt, von denen sie noch nichts gehört haben, in Deutschland aber ist das Gegenteil der Fall: Man darf nur Musik spielen, die alle auswendig kennen.

Beginnen sollte man mit der aktuellen Top-40-Musik – ein leichter Hintergrund, vertraut und angenehm –, während die Leute einander kennenlernen und von den todsicheren Themen Fußball, Wetter und der Dummheit der Amerikaner zu interessanteren Gesprächsthemen übergehen. Wenn man merkt, dass die Leute etwas lockerer werden, kann man zu klassischerem Rock wie Bon Jovi und Bryan Adams und Hits wie *Summer of '69* übergehen, um die Leute in jene glückliche nostalgische Stimmung zu versetzen, in der sie sich daran erinnern, wie viel Spaß sie damals als Teenager hatten – selbst wenn sie erst dreiundzwanzig sind.

Nachdem die Leute nun einen Vorgeschmack auf die spätere Stimmung bekommen haben, muss man als Gastgeber etwas zurückrudern und ein bisschen düsterere Musik spielen, um Energie, aber auch leichte Aggressivität zu schaffen. Die Gäste wissen ein oder zwei härtere Songs zu schätzen, schon bald aber werden sie andere Musik verlangen, die die Stimmung aufhellt. Das gibt einem Gelegenheit, die Party mit Tanzmusik aufzuheitern, was mit allgemeiner Begeisterung aufgenommen wird und die aufgeschlosseneren Gäste veranlasst, die Tanzfläche zu stürmen und loszugrooven.

Dies ist ein entscheidender Meilenstein, denn kein Tanzen heißt keine Schlager. Wenn einem das nicht gelingt, kann man eigentlich schon aufgeben und versuchen, die Party in eine Disco zu verlegen, wo ein professioneller DJ seinen Job korrekt erledigt. Ist es jedoch gelungen, kann man erleichtert aufseufzen, denn endlich ist die Zeit gekommen, Spaß daran zu haben, dass alle ihren Spaß haben. Während der Tanzhits-Phase sollte man entweder *Walking on Sunshine* oder *It's Raining Men* spielen. Diese Phase dauert mindestens eine halbe Stunde und leitet direkt zu jenem Moment über, auf den alle Deutschen gewartet haben – der Gelegenheit, dieselben Songs zu hören, die sie auf jeder anderen Party und absolut jeden Abend in der Disco gehört haben, die Schlager.

Man muss, um auf diesem Gebiet erfolgreich zu sein, mindestens folgende Titel auf Lager haben:

- Schön ist es auf der Welt zu sein
- Moskau
- Ein bisschen Spaß muss sein
- Griechischer Wein
- Die gesammelten Werke von Dieter Thomas Kuhn
- Ti Amo
- Major Tom
- Er hat ein knallrotes Gummiboot
- Die Hände zum Himmel
- Marmor, Stein und Eisen bricht
- Flieger, grüß mir die Sonne
- Auf der Reeperbahn (nur nördlich des Weißwurstäquators erforderlich)
- Er gehört zu mir
- Westerland

Ebenso populär, aber nicht unbedingt erforderlich:

- Im Wagen vor mir
- Skandal im Sperrbezirk
- 10 kleine Jägermeister
- irgendetwas von den Ärzten
- Aber bitte mit Sahne
- Pure Lust am Leben
- Der Kommisar
- Verlieben, verloren, vergessen, verzeih'n

Wenn man will, dass die Gäste gehen, sollte man *Time to Say Goodbye* spielen, *My Way* oder *Sierra Madre*, damit sie wissen, dass die Party vorbei ist und sie entweder nach Hause gehen oder sich eine Ecke zum Ins-Koma-Fallen suchen.

Meist merkt man schon selbst, ob es gelungen ist, Stimmung zu machen. Falls man sich aber am nächsten Tag nicht sicher ist, ist es ein eindeutiger Indikator, wenn ein Gast am nächsten Morgen auf dem Fußboden aufwacht und *Eisgekühlter Bommerlunder* oder irgendetwas von den Flippers singt.

Oktoberfestplanung

Den dritten Platz unter den Dingen, die wir Amerikaner an Deutschland lieben (nur knapp abgeschlagen hinter dem Hofbräuhaus und Neuschwanstein), belegt das Oktoberfest.

Das erste, was man als Ausländer über das Oktoberfest wissen muss, ist, dass es tatsächlich überwiegend im September stattfindet. Das ist sehr verwirrend, und es gab sicherlich schon zahlreiche Fälle von fröhlich gelaunten Fremden, die Mitte Oktober auf der Suche nach dem Oktoberfest durch München liefen und dann enttäuscht waren, dass sie die Gelegenheit verpasst hatten, ein riesiges Lebkuchenherz zu kaufen, auf dem *I mog di* oder so etwas steht.

Außerdem sollte man wissen, dass es in Deutschland um diese Zeit langsam kalt wird und man sich vielleicht noch einmal überlegen sollte, ob man nicht lieber in den wärmeren Sommermonaten Juli oder August nach München kommt. Wenn es nämlich zu kalt ist, verpasst man die Gelegenheit, in den Englischen Garten zu gehen und Nackte in der Öffentlichkeit zu sehen.

Auf keinen Fall sollte man auf Freunde aus Stuttgart hören, wenn diese behaupten, es gebe dort ebenfalls ein »Oktoberfest«. Diese Bezeichnung ist ebenso unzutreffend wie die jener dreihundertsiebzehn amerikanischen Städte, die sich ebenfalls mit einem »Oktoberfest« brüsten. Es gibt nur ein echtes Oktoberfest, und das findet in München statt. Und selbst das beste unechte Oktoberfest gibt es nicht in Stuttgart, sondern in Helen, Georgia, USA, denn es findet über zwölf Wochen lang statt, und man kann zur Polkamusik Miller Lite trinken. Außerdem garantiert Helen einen Ententanz pro Tag, für das Stuttgarter Volksfest hingegen gibt es keine Garantie.

Möglicherweise klingt der Stuttgarter Freund überzeugend, also vergleichen wir doch einmal die Fakten zur Münchner Wiesn mit dem Cannstatter Wasn:

- Die *Wiesn* in München findet einmal im Jahr im Frühherbst statt. Der *Wasn* findet zweimal im Jahr im Frühjahr und Herbst statt.
- Die *Wiesn* ist auf der ganzen Welt berühmt. Der *Wasn* ist im gesamten Schwarzwald berühmt.
- Die *Wiesn* befindet sich mitten im Herzen von München, der »Weltstadt mit Herz«. Der *Wasn* befindet sich mitten im Herzen von Bad Cannstatt, dem Ghetto von Stuttgart.
- Auf der *Wiesn* trifft man Menschen aus aller Welt und viele aus Bayern in traditioneller Kleidung (Lederhosen, Dirndl, Feder am Hut). Auf dem *Wasn* trifft man Menschen aus der gesamten Stuttgarter Region, die entweder unter sechzehn sind oder aussehen wie Leute, die man in Amerika samstags in Kleinstadt-Wal-Marts trifft.
- Auf der *Wiesn* bezahlt man 7,30 Euro für eine Maß herrliches Bier; auf dem *Wasn* müssen Sie einem Geld geben, damit man das grässliche Bier trinkt.

- Arbeitet man in München, wird die Firma wahrscheinlich zur Belohnung für ihre Mitarbeiter einen Tisch auf der *Wiesn* reservieren. Wenn man in Stuttgart seinen Kollegen erzählt, dass man auf dem *Wasn* war, wird man aufgezogen.

Trotz dieser gravierenden Unterschiede wird einem jeder Schwabe, dem man begegnet, weismachen, ihr »Oktoberfest« sei genau dasselbe wie das in München. Das muss so ähnlich sein wie bei den Leuten, die furchtbar stolz darauf sind, aus New Jersey zu stammen. Falls man darauf besteht, den Cannstatter Wasn zu erleben, sollte man im Frühling hinfahren, damit man nicht kostbare Wiesn-Zeit vergeudet.

Wenn man es nun geschafft hat und auf der Wiesn ist, sollte man die folgenden Dinge beherzigen:

Die Bayern sind für ihre Gemütlichkeit bekannt, aber auf dem Oktoberfest gibt es keine. Falls man das Oktoberfest besuchen will, sollte man dafür sorgen, sich sinnlos zu betrinken, denn dies ist der einzige Zustand, indem man riesige Mengen sinnlos betrunkener Menschen ertragen kann.

Der andere Grund, warum man während des Aufenthalts in München niemals nüchtern sein sollte, ist der, dass sich exakt ein Song als Wiesnhit des Jahres herausstellen wird, und man wird diesen einen Song aus den Kehlen sinnlos betrunkener Menschen dreieinhalb Wochen am Stück hören. Man sollte auf jeden Fall zu denen gehören, die singen, nicht zu denen, die leiden.

Hier ein sehr schönes Beispiel für einen solchen Wiesnhit:

Heeeeey, häääi baby!
Uuuuh! Aaah!
I wanna nööööoööööööoööööoo,
if you be my girl!
Oans, zwoa, dra, vier!
Heeeeey, häääi baby!
(Refrain wiederholen bis ohnmächtig oder bis zur Übergebenspause)

Bei der Planung der Reise kommt es auf das korrekte Timing an, damit man das richtige Wochenende erwischt (mehr als ein Wochenende pro Jahr erträgt man es nicht, also ist es wichtig, eine kluge Wahl zu treffen).

Das erste Wochenende wird von Tausenden Rucksacktouristen aus Australien und Neuseeland besucht. Die sind sehr amüsant und ziehen bestimmt eine oder zwei Shows auf einem der Tische ab.

Das zweite Wochenende ist für die Italiener reserviert, die einem mit Sicherheit auf die Nerven gehen, und wenn man noch so betrunken ist.

Das dritte Wochenende ist perfekt für *alle* Leute.

Und noch ein letzter Tipp: Wenn man nicht aus Bayern kommt, sollte man es auf jeden Fall unterlassen, sich für den Anlass Lederhosen zuzulegen, denn damit blamiert man sich mehr als alles andere (vor allem, wenn man Amerikaner ist). Wenn man sich anpassen will, ist das in Ordnung, aber man sollte sich bitte auf einen spitzen grauen Hut beschränken.

Die Amerikaner halten den deutschen
Service für schlechter, als er ist

Es gibt einen großen kulturellen Unterschied zwischen Amerikanern und Deutschen, und der besteht darin, wie wir essen gehen.

In Amerika brauchen wir immer eine Ablenkung. Wir sitzen nicht einfach herum und reden, es muss außerdem noch etwas los sein.

Deshalb lieben wir Baseball; das gibt uns einen Anlass, in der Sonne zu sitzen, ein Bier zu trinken und zu quatschen. Beim Baseball hat jedes Spiel mindestens siebzehn sogenannte *warm up periods* sowie ein *7-inning stretch* – also bleibt reichlich Zeit, um zu plaudern oder über die Spieler zu schimpfen. Die Amerikaner beschweren sich, Fußball sei langweilig. Das eigentliche Problem beim Fußball ist aber, dass er nicht in unser Schema eines Sports passt, bei dem die Action häufig durch Pausen zum Reden unterbrochen wird.

Unsere kollektive nationale Aufmerksamkeitsdefizitstörung erstreckt sich auch auf das Essengehen. Wir wollen zur Tür hereinkommen, sofort begrüßt, an einen Tisch gebracht und in den nächsten zwei Minuten von einer Kellnerin begrüßt werden, in fünf Minuten unsere Getränke bekommen und in dreißig Minuten mit dem

Essen fertig sein. In den drei Minuten nach unserem letzten Bissen wollen wir die Rechnung bezahlt haben, damit wir zur nächsten Zerstreuung weiterziehen können. Unsere häufigste Beschwerde in Restaurants ist, dass es mit der Rechnung zu lange gedauert hat. Die Amerikaner waren schon immer auf Freiheit versessen, und wir hassen es unendlich, von einer Kellnerin, die uns die Rechnung nicht bringt, in Geiselhaft gehalten zu werden.

Und genau hier liegt die Quelle aller kulturellen Missverständnisse in Restaurants zwischen unseren beiden stolzen Nationen.

Die Deutschen wollen die Rechnung erst, wenn sie darum gebeten haben, denn sie fänden es aufdringlich von der Kellnerin, die Rechnung auf den Tisch zu werfen, als wolle sie sagen »Raus hier, sofort!«. In Amerika geht man davon aus, dass wir auf der Stelle raus wollen.

Die Deutschen möchten meist sitzen bleiben und noch ein paar Drinks nehmen und sich eine Weile unterhalten, bevor sie nach Hause gehen, denn Europäer geben sich mit Essen und Geselligkeit zufrieden. Wenn wir Amerikaner noch ein paar Drinks nehmen und quatschen wollen, müssen wir irgendwohin gehen, wo entweder an allen Wänden Fernseher sind oder Billardtische oder irgendeine Art Videospiel, das uns Zerstreuung bietet.

Ich habe inzwischen herausgefunden, dass man sich als Amerikaner an folgende Regeln halten sollte, damit man sich nicht endlos über den schlechten Service aufregt, wenn man in Deutschland essen geht:

1. Man sollte sich selbst einen Tisch suchen, denn niemand wird einen begrüßen oder an den Tisch bringen.

2. Falls keine Tische frei sind, sollte man in das nächste Restaurant gehen, denn die Leute werden so bald nicht aufbrechen. (Befindet man sich in Bayern, kann man sich ruhig zu Leuten an den Tisch setzen, falls dort Platz ist. Man darf sie ignorieren wie die Menschen, die einem in der U-Bahn gegenüber sitzen, oder, wenn man Lust dazu hat, ein bisschen Smalltalk machen.)

3. Wenn man etwas möchte, zum Beispiel die Rechnung, ist es an einem selbst, die Aufmerksamkeit der Kellnerin zu erwecken.

Die Deutschen beschweren sich, dass das amerikanische Servicepersonal einen ständig belästigt und die Gespräche unterbricht, um siebenundvierzig Mal zu fragen, ob alles in Ordnung ist.

Was wir Amerikaner hingegen an Deutschland auszusetzen haben, ist, dass häufig niemand da ist, wenn man die Rechnung verlangen möchte, und man einfach davon ausgeht, dass man an dem Abend weiter nichts vorhat und Geschwindigkeit deshalb kein Thema ist.

Falls man wegen irgendeines Missverständnisses oder einer Verwechslung nicht bekommen hat, was man erwartete, wird die Kellnerin in Deutschland einem immer unverblümt erklären, dass man genau das bekommen hätte, was bestellt war.

Ganz seltsam jedoch ist, dass eine deutsche Kellnerin immer erst fragen wird, wie es geschmeckt hat, wenn man mit der gesamten Mahlzeit fertig ist. Dann ist es natürlich viel zu spät, um noch etwas daran zu ändern – und genau das erwartet man in amerikanischen Restaurants, wenn man nicht zufrieden ist. (Ein kleiner Tipp: Wenn man sich im Restaurant genügend beschwert, bekommt man in Amerika etwas umsonst.)

Allerdings wird die superfreundliche Kellnerin in Amerika die Anwesenheit der Gäste nicht mehr zur Kenntnis nehmen, sobald man die Rechnung beglichen hat. Das sollte man unbedingt beachten, um den kostenlosen Nachfüllservice bestmöglich ausschöpfen zu können.

Trinkgeld

Die meisten Deutschen verstehen die Trinkgeldbräuche in Amerika nicht, ebenso wie die Amerikaner die deutschen Trinkgeldbräuche nicht verstehen.

In Amerika ist der Kellner zum Überleben auf Trinkgelder angewiesen, denn der Mindestlohn liegt knapp über zwei Dollar pro Stunde, und mit dem US-Dollar kommt man heute nicht mehr weit. Deshalb gibt man in der Regel fünfzehn Prozent Trinkgeld, was nach oben oder unten korrigiert wird, je nachdem, ob der Kellner in die Hocke ging, um auf Augenhöhe mit den Gästen zu sein, Schlaghosen trug, einen Smiley auf die Rechnung malte oder unser Essen kalt werden ließ, weil er draußen Zigarettenpause machte. Die Deutschen wissen häufig nicht, dass sie jedesmal drei Prozent aufschlagen sollten, wenn der Kellner Körperkontakt mit ihnen hat.

Die Amerikaner versuchen die Trinkgeldfrage nonchalant zu lösen, indem sie entweder »stimmt so« sagen oder Geld auf dem Tisch liegen lassen, das der Kellner später aufsammelt.

Wenn Amerikaner essen gehen, zahlen sie meist mit Kreditkarte und verblüffen die Deutschen, weil sie die

Buchung bereits übers System abgewickelt haben, und dann ändern sie den Betrag plötzlich beim Unterschreiben.

Falls man mit Kreditkarte bezahlt, ist es eine gute Idee, ein paar Tage danach zu kontrollieren, ob die Rechnung stimmt (was sie in neunundneunzig Prozent aller Fälle tut).

In Amerika müssen am Ende des Tages Rechnungsbetrag und Trinkgeld auseinandergerechnet werden. Dies geschieht in der Regel unter Aufsicht des Geschäftsführers, damit die Kellner einen nicht bestehlen.

Wenn man ein typischer Deutscher ist, wird man fünf Budweiser trinken und allen Umstehenden erklären, das sei kein echtes Budweiser und schmecke wie Wasser. Dann reißt man einen Witz über amerikanisches Bier und Sex im Kanu. Danach ist man vielleicht nicht mehr imstande, Zahlen zu addieren, und wenn man mit Kreditkarte bezahlt, entspricht der Betrag, den man als Trinkgeld gibt, vielleicht nicht der Summe, die man eigentlich hingeschrieben hat. Falls der Gast falsch addiert, werden mangelnde Mathekenntnisse ignoriert.

In Deutschland sind die Kellnerinnen nicht so sehr auf Trinkgelder angewiesen wie in den USA, weil sie besser bezahlt werden. Das heißt aber nicht, dass die Menschen in Deutschland kein Trinkgeld geben; sie geben nur nicht so viel.

Anscheinend existiert in Amerika das Gerücht, man müsse in Europa überhaupt kein Trinkgeld geben, und deshalb bestehen viele Touristen darauf zu zeigen, dass sie sich auskennen, indem sie nie Trinkgeld geben.

Ich persönlich mache das mit dem Trinkgeld in Deutschland so: Wenn der Service unsäglich war, gebe ich kein Trinkgeld. War der Service gut, zeige ich meine Anerkennung; ich gebe nur keine zwanzig Prozent, weil die Kellnerin sonst denkt, ich wüsste nicht, was ich tue.

Wie Amerikaner in Deutschland reisen

Wenn man als Amerikaner nach Deutschland reist, befindet man sich auf einer Mission zur Erfüllung folgender Aufgaben:

1. Ins *Hofbräuhaus* gehen: Wenn man eine Frau ist, braucht man ein Foto, auf dem man zu Polkamusik mit einem Typ in Lederhosen und mit gewaltigem Schnurrbart tanzt. Wenn man ein Mann ist, bringt man einen Typen in Lederhosen und mit gewaltigem Schnurrbart dazu, seinen Schnupftabak mit einem zu teilen. Männer wie Frauen müssen ein *Hofbräuhaus*-Sweatshirt oder -T-Shirt kaufen, um ihren Erfolg zu dokumentieren.

2. Ein Bier aus einer Maß trinken, die man als cooles Souvenir klauen kann. Extrapunkte gibt es, wenn man sie aus einem Biergarten gestohlen hat. Das bietet außerdem Gelegenheit, Dinge zu sagen wie »Ich mag kein Bier, aber in Deutschland schon«, um die Idee zu propagieren, die Mischung aus Wasser, Hopfen und Gerste ergebe nur in Belgien, Irland oder Deutschland ein köstliches Gebräu.

3. Das Schloss Neuschwanstein besichtigen, ein Foto machen und rufen: »Das sieht genau aus wie in Disneyland!!!«
4. Wirklich altes Zeug sehen.
5. Jedem, dem man begegnet, erzählen, dass in Amerika alles größer ist.

Leider steht die deutsche Kultur bei der erfolgreichen Durchführung dieser Aufgaben so manches Mal im Weg, und da Amerikaner vermutlich nur einen Tag ihres Europatrips für Deutschland reserviert haben, müssen sie sich beeilen und vor allem vorausplanen.

Das sieht dann folgendermaßen aus:

1. *Nicht auf Kaffee verzichten.* In Deutschland muss man nicht mehr den europäischen Kaffee ertragen, denn es gibt Starbucks. In jeder größeren Stadt kann man also – sehr zur Freude eines jeden Amerikaners – seinen täglichen *tall skinny double decaf latte* bekommen. Die Deutschen versuchen zwar immer wieder, einen zu überzeugen, einen *Latte macchiato* oder so etwas zu probieren. Ich höre einfach nicht hin.
2. *Proviant mitbringen.* Falls man keine amerikanischen Snacks dabeihat, wären die Amerikaner sonst vielleicht gezwungen, einheimische Produkte zu probieren.
3. *Botschaften[18] nutzen.* Die Amerikaner reisen lieber mit dem Auto als mit dem Zug, damit sie das Land in ihrem eigenen Tempo erkunden und an den goldenen

---

[18] Als »amerikanische Botschaft« bezeichnet man eine bestimmte Fast-Food-Kette. d.Ü.

Bögen an den Autobahnen anhalten können, um die Big Macs mit *Big Mäcs* zu vergleichen.

4. *Darauf achten, dass der eine Tag, den man in Deutschland verbringt, kein Sonntag ist.* Deutschland nimmt Touristen sehr entgegenkommend auf, in einer Hinsicht aber ist man nicht flexibel, und das betrifft die Einschränkungen an Sonntagen.

5. *So planen, dass man zum Abendessen in München ist.* Dort gibt es ein Hard Rock Café, sodass Amerikaner nicht nur ein Essen bekommen, das sie wirklich mögen, sondern auch ein weiteres cooles T-Shirt, auf dem *Munich* steht, um den Freunden zu Hause zu zeigen, dass man auch dieses ganze Europa-Ding gemacht hat.

Die Deutschen machen alles falsch

$1$713, als die Internationale Versammlung *Wie Man Sachen Macht* zusammentraf, um akzeptable Weltstandards festzulegen, erschienen die Deutschen nicht. Deshalb muss man sich daran gewöhnen, dass sie alles falsch machen.

Die Deutschen fangen bei 0 zu zählen an. Wenn man in ein Hotel geht, bekommt man gesagt, dass das Zimmer im dritten Stock liegt, wo es doch in Wirklichkeit im vierten Stock ist, denn die Deutschen begreifen nicht, dass das Erste, was man zählt, immer die 1 ist, nicht die 0. Das hat außerdem die Nebenwirkung, dass die Deutschen mit dem Zählen beim Daumen beginnen.

Die Deutschen begreifen nicht, dass eine Telefonnummer eine feste Anzahl Ziffern haben sollte. In Amerika verwenden wir immer die gleiche Anzahl Ziffern, sodass wir, wenn wir unsere Telefonnummer angeben, eine Art Melodie haben, mit der wir sie singen können. In Deutschland weiß man nie, wann man den Stift weglegen kann, denn die Telefonnummer könnte ebenso gut 472323412232 wie 7 sein.

Die Deutschen können nicht mit dem Kalender umgehen. Zunächst einmal schreiben sie Tag, Monat und dann das Jahr, getrennt durch Punkte, statt Monat, Tag und Jahr, getrennt durch Schrägstriche, wie jeder vernünftige

Mensch. Das Unheimlichste ist aber, dass die Deutschen glauben, die Woche beginne mit dem Montag, sodass jeder Ausländer den Kalender im Kopf ständig umstellen muss, um herauszubekommen, was sie eigentlich meinen.

Die Deutschen drücken die Daumen, statt die Finger zu kreuzen, und vergeben feste Plätze im Kino. Bei den Deutschen muss derjenige zahlen, der Geburtstag hat, statt umgekehrt, also sollte man es vermeiden, an seinem Geburtstag in Deutschland zu sein.

Das Albernste, was die Deutschen machen, ist das metrische System. Jeder weiß, dass Inch oder Zoll besser sind als der Zentimeter, weil er größer ist. Und wenn man ein fußlanges Subway-Sandwich zwischen zwei, drei, vier oder sechs Leuten teilen will, schneidet man es in jeweils 6, 4, 3 oder 2 Inch lange Stücke. Wenn man das mal mit Zentimetern versucht, wären die Stücke 15, 24, 10, 16, 7, 62 oder 5,08 Zentimeter lang. Das kann sich doch kein Mensch merken.

Gott schuf die Sieben-Tage-Woche, dem Genie von George Washington jedoch verdankt die Welt den 24-Stunden-Tag, der sich glatt in Hälften, Drittel, Viertel, Sechstel, Achtel, Zwölftel sowie Vierundzwanzigstel teilen lässt. Aus genau demselben Grund besteht eine Meile aus 5280 Fuß; man kann sie in exakt eintausendsiebenhundert Sechzigstel teilen.

Ein Kreis besteht aus gutem Grund nicht aus hundert Grad. Denken Sie mal darüber nach.

Das Einzige, was die Deutschen richtig machen, ist, dass sie auf der rechten Straßenseite fahren, und dafür haben sie sich wahrscheinlich nur entschieden, um die Briten zu ärgern.

Die Deutschen glauben, die Amerikaner hätten keine Ahnung vom Rest der Welt

Und sie haben recht.

Wenn man als Amerikaner nach Deutschland zieht – wie ich das getan habe –, muss man sich gegen Leute verteidigen, die sich fragen, warum die Amerikaner offenbar glauben, die Deutschen hätten keine Elektrizität oder Farbfernsehen. Man sollte sich gegen diese Fragen wappnen und ihnen genau erklären, warum wir nichts über ihr Land wissen.

In Deutschland sind alle Experten in Weltangelegenheiten, weil die Lokalnachrichten so langweilig sind. In der fünfzehnminütigen *Tagesschau* können die Deutschen über alles auf der Welt reden, während die Amerikaner täglich schon eine dreißigminütige Sendung brauchen, um nur den Sport abzudecken. Man braucht nur ein paar Minuten, um zu sagen, dass Bayern München wieder Meister ist, aber in den USA gibt es College-Basketball, Profi-Basketball, College-Football, Profi-Football, Hockey, Golf, Tennis, Baseball, Nascar, Indy – um nur ein paar zu nennen.

Außerdem ist das Schlimmste, was in Deutschland passieren kann, etwas Sturm oder Hochwasser. In Amerika haben wir Hurricanes, Tornados, Feuersbrünste, Erdlawinen, Blizzards, Erdbeben und Bären.

In Deutschland ist der Aufmacher in den Lokalnachrichten, dass jemandem das Fahrrad gestohlen wurde, in Amerika machen täglich Morde in der Großstadt, bewaffnete Überfälle und rasante Polizei-Verfolgungsjagden Schlagzeilen.

In Amerika haben wir Action-Nachrichten. Die deutschen Nachrichten sind einfach nicht so aufregend, und deshalb müssen die Deutschen herausfinden, was sich anderswo jenseits ihrer Grenzen tut.

Außerdem verstehen die Deutschen anscheinend nicht, dass Amerika für alles Gute in der Welt verantwortlich ist. Vielleicht sind sie nur neidisch, dass wir Freiheit, Demokratie, Feuerwerk, Satelliten und das Auto erfunden haben.

Wenn man aus Deutschland wieder in die USA zurückkehrt, werden die Leute einen höflich nach Deutschland fragen, obwohl es sie nicht wirklich interessiert. Dann sollte man – wie ich aus eigener Erfahrung weiß – darauf vorbereitet sein, Fragen zu beantworten wie »Liegt Deutschland in der Nähe von Europa?«, ohne laut loszulachen und jemanden zu beschämen, der doch nur versucht, nett zu einem zu sein.

Außerdem wird, wenn man erwähnt, dass man in Deutschland gelebt hat, in siebenundneunzig Prozent aller Fälle irgendjemand sagen: »Oh, die Tante der Schwester meines besten Freundes ist zu einem Viertel Deutsche!« Man sollte versuchen, sich dafür im Voraus eine gute Antwort zurechtzulegen. Mir ist allerdings noch keine eingefallen.

Kulturschock

Das Erstaunliche am Kulturschock ist, dass er am schlimmsten ist, wenn man in sein Heimatland zurückkehrt. Wenn man in ein fremdes Land zieht, erwartet man, sich mit Veränderungen abfinden zu müssen. Betritt man aber wieder heimischen Boden, fällt einem plötzlich auf, dass es zu Hause an einigen Dingen fehlt, die man liebgewonnen hat.

Hundert Prozent aller Amerikaner, die von Deutschland zurück nach Hause kommen, vermissen deutsches Brot und deutsche Schokolade – und zwar sofort. Obwohl es überall im Land halbherzige Versuche gibt, deutsches Brot herzustellen, kann man immer noch den ganzen Laib mühelos zu einem Pfannkuchen zusammendrücken. Es gibt zwar ziemlich gutes Brot in Amerika, aber mit Sicherheit nicht an jeder Straßenecke.

Die Gelegenheit, in einer nett aussehenden Innenstadt herumzulaufen, ohne von Autos und hässlichen Werbetafeln überschwemmt zu werden, die um unsere kurze Aufmerksamkeitsspanne wetteifern, ist eine weitere Sache, die Amerikaner bei ihrer Heimkehr vermissen. Die meisten von ihnen hätten gern Gelegenheit, zu Fuß oder mit dem Fahrrad irgendwohin zu kommen, ohne dass gleich hinter jeder Straßenecke der Tod lauert.

Deutschland stellt mit die übelste Software her, die je entwickelt wurde: SAP. Man muss nur die herrlich elegante Gmail mit der scheußlichen GMX vergleichen, die die meisten Deutschen aus unerklärlichen Gründen immer noch benutzen. Trotz der deutschen Neigung zu minderwertiger Software macht Deutschland die beste Computerzeitschrift der Welt, *c't*, die amerikanische Computerfreaks nach ihrer Heimkehr schmerzlich vermissen.

In Amerika spricht man eine eigene Art des Englischen, in der das erstaunlich nützliche Wörtchen *doch* fehlt. Normalerweise sind deutsche Wörter ganze Sätze, die zu einem einzigen Wort zusammengezogen sind. Dieses kleine Juwel aber ist in Wirklichkeit der Satz »Ich habe recht, und du hast unrecht!«, alles in einem Grunzen aus tiefster Kehle. Am nächsten kommt dem das amerikanische *yuh-huh*, das aber nicht mehr angesagt ist, sobald man sieben Jahre alt wird, ungefähr das Alter, in dem von einem erwartet wird, dass man nicht mehr genau das sagt, was man meint.

V

MEIN DEUTSCHES LEBEN

Die Veröffentlichung meiner Essays im Internet hat mich und meine Schlussfolgerungen über die Deutschen einer gewissen Skepsis ausgesetzt, die jedoch unbegründet ist. Um zu beweisen, dass ich über einen reichen Schatz von Erfahrungen mit der deutschen Sprache und Kultur verfüge, möchte ich an dieser Stelle Details darüber liefern – in der Hoffnung, dass diese Details jene Stimmen zum Schweigen bringen, die die absolute Akkuratheit meiner Fakten oder Erklärungen in Zweifel ziehen. Ich habe persönlich viel deutsche Kultur erfahren und bin schnell zu der Erkenntnis gekommen, dass sie sich von Küste zu Gebirge und von Grenze zu Grenze so stark unterscheidet, dass diese regionalen Abweichungen als Erklärung für alle eventuellen Fragwürdigkeiten ausreichen dürften.

Die Anfänge mit der deutschen Kultur

Meine ersten Deutschstunden auf der Highschool belegte ich aus einem ganz einfachen Grund: Der Lehrer war dafür bekannt, dass man bei ihm am leichtesten gute Noten in Fächern, die für die Zulassung zum College relevant sind, bekommen konnte.

Obwohl Amerikaner im Allgemeinen eine Fremdsprache niemals wirklich lernen – vom simpelsten Grundvokabular einmal abgesehen –, herrscht in unseren Universitäten der Glaube vor, die Fähigkeit, seinen Namen und Heimatort in einer anderen Sprache sagen zu können, sei unerlässlicher Bestandteil einer abgerundeten Persönlichkeit. Also machte ich die vorgeschriebenen zwei Semester Deutsch und bekam zweimal die Bestnote. Mein Deutsch war schrecklich. Ich hielt mich für ein linguistisches Genie.

Ich wurde ins College aufgenommen. In Stillwater, Oklahoma. Es war zwar nicht das, das ich eigentlich am liebsten besucht hätte, aber ich bekam dort ein Vollstipendium von ungefähr 35.000 Dollar unter der Bedingung, mein Notendurchschnitt müsse jedes Semester überwiegend aus guten und ein paar sehr guten Noten bestehen. Nach einem Jahr voller Ingenieurskurse hatte ich den Anforderungen mit Mühe und Not Genüge getan und beschloss, dass etwas geschehen müsse, denn die Kurse würden nicht leichter werden. Da Deutsch auf der Highschool so einfach war, hielt ich dies für die richtige Lösung, um meinen Eltern große Geldsummen zu ersparen.

Todesmutig übersprang ich das erste Semester der Deutschkurse; schließlich hatte ich auf der Highschool mühelos Bestnoten kassiert. Es war ein gewaltiger Schlag für mein Ego, als ich entdeckte, dass die Deutschen zu jedem Wort bestimmte Artikel verwenden müssen – hier *der* und dort *das*, wie es ihnen gerade in den Sinn kam. Auf dem College ging es in den Deutschkursen nicht darum, Lebkuchenhäuser zu bauen und deutsche Rumkugeln nach einem alten Familienrezept zu essen, wie ich es zuvor erlebt hatte. Kurz gesagt: Es war schwer, aber ich kniete mich hinein, schaffte die Bestnote und stellte mit Befriedigung fest, dass ich eine Lösung für meinen Mangel an technischer Begabung gefunden hatte. Mein Deutschkurs würde meine Unfähigkeit zur Lösung von Differentialgleichungen wettmachen. Acht Jahre später sollte ich stolz meinen Bachelor in Empfang nehmen. Mein Notendurchschnitt sank im letzten Semester übrigens unter die Minimalanforderungen – glücklicherweise erst in dem Moment, als er endlich absolut keine Rolle mehr spielte.

Während meiner Collegejahre hatte ich einen Nebenjob in einem Forschungslabor an meiner Universität. Bei der Arbeit dort lernte ich einen Postdoktoranden aus Hamburg kennen. Ich fragte ihn aus und ließ mir jene deutschen Wörter beibringen, die meine Professoren nicht herausrückten. Schließlich sagte er, ich solle doch selbst nach Deutschland gehen, und gab mir die E-Mail-Adresse seines Professors. Da meine Deutschnoten nach wie vor perfekt waren, wusste ich, dass ich meinen Antrag auf ein Praktikum mit Hilfe meines Deutschwörterbuchs formulieren konnte, das ich kürzlich aus dem Erlös einer erfolgreichen Nacht beim Videopoker im örtlichen Indianerkasino erstanden hatte. Ich bat den guten Professor um eine »Internierung«, und er gewährte sie mir gern.

»Internierung« in Hamburg

Meinen Flug nach Hamburg verdankte ich den Freimeilen auf der Kreditkarte meines Vaters, sodass die Bedingungen nicht perfekt waren. Wegen des zwölfstündigen Aufenthalts in London kam ich erst gegen zehn Uhr abends in Hamburg an – allein und ohne die geringste Ahnung, wie man sich in Deutschland verhält. Aber da ich in meinen zwei Semestern Deutsch an der Highschool und zwei Semestern am College so gut abgeschnitten hatte, wusste ich, dass ich allem gewachsen war, und teilte meinen neuen Kollegen an der Universität mit, ich müsse nicht vom Flughafen abgeholt werden, sondern würde es mit Hilfe der Wegbeschreibung, die ich mir aus dem Internet ausgedruckt hatte, allein schaffen.

Als ich endlich auf dem Hamburger Flughafen ankam, war ich müde, vom Jetlag geplagt und völlig ahnungslos. Ich wusste nicht genau, wo ich hinmusste, und war sehr erstaunt, dass nichts geöffnet war, wo man Geld wechseln konnte. Zum Glück funktionierte der Geldautomat, sonst hätte ich aus Geldmangel wahrscheinlich einfach auf dem Flughafen geschlafen.

Nachdem ich einige Deutschmarks von meinem Konto abgeholt hatte, bemerkte ich, dass anscheinend alle zum selben Bus gingen. Also dachte ich, es müsse ein Shuttle nach irgendwohin sein, wohin auch ich musste. Ich stieg in den Bus ein und mit den anderen beim nächsten Halt aus, der anscheinend ein Bahnhof mitten im Nirgendwo war. Zum Glück kam mir ein sichtlich und riechbar betrunkener Mann zu Hilfe, als er sah, dass mich die Fahrscheinautomaten verwirrten. Ich erklärte meine Lage, und er sagte irgendetwas von *Friedhof*. Er regte sich furchtbar auf, dass ich nicht verstand, was ein *Friedhof* war, aber er war sehr hilfsbereit und erklärte mir, ich brauche keinen Fahrschein für den Zug, da ich ein Flugticket habe. Das ergab keinen Sinn, aber ich wusste nicht, wie ich einen Fahrschein kaufen sollte, und war nicht ganz in der Verfassung, es herauszufinden. Also stieg ich in den nächsten Zug, wo mich zwei offiziell wirkende Männer nach meinem Fahrschein fragten. Ich reichte ihnen mein Flugticket und verkündete stolz: »Ick mookte nack Hause fahren.« Darauf sagte einer der Offiziellen auf Englisch: »You are not from Germany, are you?«

Letzten Endes schaffte ich es nicht nach Hause, bevor der öffentliche Nahverkehr den Betrieb für die Nacht einstellte, aber ein netter Polizist brachte mich zu einem Taxi, das mich zu meinem neuen Zuhause fuhr.

Meine erste Mission war nicht ganz geglückt, aber ich war sehr neugierig, was mich in meinem ersten Zuhause jenseits von Oklahoma erwartete.

Ich begann am nächsten Tag mit der Arbeit, und meine neuen Kollegen erzählten mir, es gebe in der Innenstadt am Wochenende eine Parade. Also beschloss ich, mir an meinem ersten Sonnabend die Blaskapellen, Paradewagen und Feuerwehrautos anzusehen. Ich war noch nie bei einer Parade in einer Großstadt gewesen und daher ganz aufgeregt, weil ich nun all diese Dinge sehen sollte, die eindrucksvoller sind als unsere einheimischen Farmer auf ihren Traktoren. Sobald ich dort angekommen war, erkannte ich, dass Paraden in Deutschland nicht ganz wie die amerikanischen sind. Andererseits war ich noch nie auf einer Schwulenparade gewesen, und der Schock der Techno-Musik und der Tänzer in kleinen schwarzen Lederfummeln bei der Parade zum Christopher Street Day hinterließen einen tiefen Eindruck bei mir.

Nach meinem ersten interessanten Wochenende in Hamburg wurde meine Arbeit an der Universität schnell zur Routine. Ein paar Stunden Wissenschaft, dann Mittagessen in der Mensa oder Einkaufen bei Aldi, danach – auf Verlangen des Professors – eine einstündige obligatorische Kaffeepause. Die einzige Vorschrift für die Kaffeepause war offensichtlich, dass wir nicht über die Arbeit reden durften, und dies stellte sich als der wertvollste Teil meiner Erfahrung im neuen Land heraus: ein Crashkurs im Deutschen zu allen erdenklichen Themen.

Zu dieser Zeit meines Lebens war ich völlig pleite und konnte – abgesehen von einigen Ausflügen – nicht reisen. Ein großzügiger Universitätsmitarbeiter nahm mich und einen Studenten aus China in seine Heimatstadt Lüneburg mit. Es war eine faszinierende Stadt mit Mauern, die zu schmelzen schienen, und der nette Mann lud uns zum Essen in sein Lieblingsrestaurant ein (irgendetwas wie Block House). Nachdem wir unser Steak und unsere Kartoffeln gegessen hatten, fuhren wir mit dem Zug nach Hamburg zurück, und mein chinesischer Freund meinte zu mir, er habe das mexikanische Essen wirklich genossen. Ich erwiderte, dieses Essen sei amerikanisches Essen gewesen, was für mich eine gewisse Enttäuschung war. Schließlich war ich doch nicht den ganzen weiten Weg nach Deutschland gekommen, um amerikanisches Essen zu verzehren. Mein chinesischer Freund antwortete prompt, ich sei im Unrecht, es sei mexikanisches Essen gewesen.

Am nächsten Tag kam bei der Kaffeepause das Gespräch auf unseren Ausflug nach Lüneburg. Jianxin beschrieb unseren netten Besuch im Restaurant und wie sehr er sein erstes mexikanisches Essen genossen habe. Als ein Kollege ihn korrigierte und ihm erklärte, das Steakhaus sei von der amerikanischen Küche inspiriert, sagte er nur »Oh, okay …«. Offensichtlich war auf meine Kenntnis der amerikanischen Küche nicht genügend Verlass.

Bei einem weiteren Ausflug beschloss ich aus einer Laune heraus, mir Lübeck anzusehen, und zwar an einem Sonnabend, als zufällig ein Fußballspiel zwischen dem Hamburger SV und dem FC Basel stattfand. Ich wollte mir das Spiel gerne ansehen. Das war allerdings längst nicht so unvergesslich wie die Fahrt zum und vom Stadion. Deutsche und Schweizer Fußballfans sind sehr speziell, und ich war froh, lebend davonzukommen, ohne schwere Kopfverletzungen durch Miniflaschen *Kleiner Feigling*, die offenbar perfekte Wurfgeschosse abgaben.

Trotz meines verarmten Zustandes gelang es mir, mich in Hamburg großartig zu amüsieren und billige Vergnügungen aufzutun wie improvisierte Fußballspiele im Park. Ich sparte sogar fünf Mark, um auf dem Fischmarkt ein T-Shirt zu erstehen, auf dem ein Krankenwagen zu sehen war und der Text »Saufen bis der Notarzt kommt«, was mir damals echt cool vorkam.

Als meine Zeit in Hamburg zu Ende ging, entdeckte ich, dass meine Universität ein Austauschprogramm mit der Technischen Hochschule in München hatte. Also beschloss ich, einen Wochenendausflug zu machen, um zu sehen, ob ich vielleicht eine Weile in München leben wollte.

Das Wochenende in München war eine Offenbarung – es war genau so, wie Deutschland meiner Meinung nach sein sollte. Es gab Biergärten, Riesenbrezeln und Menschen, die Fleisch direkt vom Spieß aßen. Ich wusste sofort, dass ich wieder dorthin musste.

Als ich an meine Universität in Oklahoma zurückkehrte, verschafften mir meine zwei Monate völligen Eintauchens in die deutsche Kultur und Sprache Lichtjahre Vorsprung vor den Studenten in meinen Kursen, und meine Deutschkurse schaffte ich locker. Mein verschlagener Plan, mir mein Stipendium durch unlautere Mittel zu erhalten, funktionierte.

Austauschstudent in München

Sobald ich zurück in Stillwater, Oklahoma, war, begann ich mich nach dem Austauschprogramm mit München zu erkundigen, und ich entschied mich für zwei Semester an der Technischen Hochschule. Man hatte mir wiederholt erzählt, die Bayern könnten kein Deutsch, und daher beschloss ich, mich dort um ein Praktikum für den Sommer zu bemühen, bevor das Wintersemester begann, damit ich zumindest rudimentäres Bayrisch lernen konnte, da meine Professoren kein Deutsch beherrschten. Das funktionierte wunderbar, denn meine Kontaktperson für das Austauschprogramm in München verschaffte mir sofort einen Job, der sich als der beste Teil meiner fünfzehn Monate in der Weltstadt mit Herz herausstellte. Meine Universitätserfahrung war eine Katastrophe.

An mein Studium in München knüpfte ich idealistisch große Hoffnungen. Endlich würde ich im Land der Dichter und Denker in der Muttersprache von Einstein, Ohm und anderen richtig schlauen Leuten studieren. Ich freute mich darauf, die Hausaufgaben los zu sein und endlich ausschließlich auf der Grundlage meiner gesammelten Kenntnisse anerkannt zu werden. Die amerikanische Universität unterscheidet sich kaum von der Highschool, wo man in jedem Semester mit Hausaufgaben, Prüfungen und Multiple-Choice-Tests gequält wird. In Deutschland würde ich in jedem Seminar nur einen Test schreiben müssen, was ganz großartig war, weil ich bei Tests ziemlich gut abschneide, aber viel zu faul bin, um dafür zu arbeiten, was mich letzten Endes zwang, viele Seminare zu wiederholen, einige mehrmals. (Das mag mit der Grund sein, warum ich für mein vierjähriges Studium acht Jahre brauchte – übrigens die besten acht Jahre meines Lebens!) In München würde ich diese ganze stumpfsinnige Arbeit nicht leisten müssen, sondern am Ende nur meinen einstündigen Test schreiben, und das wäre es. Das deutsche System schien mir perfekt.

Das deutsche System ist schrecklich.

Na ja, an meiner Bildungsmisere bin ich überwiegend selbst schuld, aber die Dinge liefen einfach nicht wie geplant. Da mir mein Sommer-Praktikum gefiel und ich meinem Arbeitgeber, wurde mir eine Stelle als Werkstudent angeboten, die ich freudig annahm. Sie wurde genauso bezahlt wie das Praktikum, aber ich musste nur halb so lange arbeiten – was wollte ich mehr? Ich musste nur noch den Trick finden, die zwanzig Arbeitsstunden in meinem Vorlesungsplan unterzubringen.

In Amerika war ich sehr schlecht darin, meinen Stundenplan aufzustellen, und belegte einfach alles, was mir gefiel, statt die anerkannten Studienpläne einzuhalten. Manchmal richtete ich mich nach den Anforderungen, manchmal nicht. Nachdem ich fast alle Scheine für Deutsch als zweites Hauptfach zusammenhatte, reichte ich für den letzten verbleibenden Kurs, Deutsch I, mein Studienbuch bei meiner Studienberaterin ein. Sie fand es nicht sehr amüsant, dass ich den ersten Kurs einfach übersprungen hatte und jetzt als letztes Deutschseminar den Einführungskurs machen wollte, wollte mir aber andererseits auch nicht zumuten, den Kurs zusammen mit absoluten Anfängern zu machen. Das Bitten um Vergebung war für mich schon immer eine wesentlich erfolgreichere Strategie als das Ersuchen um Erlaubnis, und in diesem Fall ersparte es mir fünf Wochenstunden Seminar im Semester. Das war nicht unerheblich angesichts der zwölf Wochenstunden, die als volle Arbeitswoche galten.

Da ich die Kurse an meiner Universität im Großen und Ganzen willkürlich belegt hatte, hatte ich keine Chance, ins Raster eines bestimmten Semesters an einer deutschen Universität zu passen. Als ich meinen Stundenplan für die Seminare aufstellte, enthielt er ungefähr ein Seminar aus jedem möglichen Studiensemester der Deutschen. Ich wusste nicht, dass alle deutschen Studenten mit demselben Studiengang in jedem Semester dieselben Seminare absolvieren, aber ich sah kein Problem darin und begann, Vorlesungen zu besuchen. Sehr erfreut war ich darüber, dass es überhaupt keine Anwesenheitspflicht gab.

Es war nicht ganz leicht, mein ehrgeiziges Studiensemester mit den zwanzig Arbeitsstunden pro Woche in Einklang zu bringen, da meine U-Bahn-Stationen jeweils vierzig Minuten voneinander entfernt lagen. Von der Wohnung zur Arbeit – vierzig Minuten, von der Arbeit zur Universität – vierzig Minuten, und von der Universität nach Hause – vierzig Minuten. Ich brauchte eine volle Woche, um mich zu entscheiden, welche Seminare mir wirklich etwas brachten und mir an meiner heimischen

Universität angerechnet würden und wie ich meine Arbeitszeit zwischen den U-Bahn-Fahrten einrichten konnte.

Die ersten drei Wochen waren ein Schock. Mir persönlich ist bis auf den heutigen Tag schleierhaft, warum die Deutschen überhaupt Vorlesungen besuchen. Die Deutschen sind zwar weltberühmt für ihre Pünktlichkeit, deutsche Studenten hingegen scheinen systematisch zu spät zu kommen. Noch schlimmer war jedoch, dass sie – wenn sie endlich auftauchten – die gesamte Zeit miteinander redeten, sodass ich nicht verstehen konnte, was der Professor sagte, obwohl er tatsächlich Deutsch konnte.

In Amerika schmeißen die Professoren einen aus dem Seminar, wenn man den Betrieb stört. Ich wurde sogar einmal aufgefordert, ein großes Seminar zu verlassen, nur weil ich in der letzten Reihe still ein Buch las.

Amerikanische Studenten werden in der Regel ermuntert, Fragen zu stellen, und der Professor vergewissert sich, dass die Studenten ihm folgen können, indem er ihnen Fragen zum Stoff stellt. Deutsche Professoren könnten ebenso gut einer Wand predigen. Sie stehen ihrer Umgebung völlig gleichgültig gegenüber. Dass niemand ihren Ausführungen die geringste Aufmerksamkeit schenkte, störte keinen meiner Professoren in Deutschland.

Einem weltvergessenen Professor zu folgen war schon schwer genug. Rechnet man aber noch die ungezogenen Studenten und ihre Papierflugzeugweitwurfwettbewerbe dazu, war die Situation ausgesprochen frustrierend. Noch frustrierender aber wurde es, als drei – nicht einer, sondern drei! – Professoren fanden, die Anfangszeit des Seminars passe ihnen nicht, und sie mitten im Semester änderten. Sie glichen sie mit dem Stundenplan des

Semesters für die Mehrheit der Studenten ab, und den meisten von ihnen passte es. Das war also kein Problem. Ich dagegen stand dumm da, weil es meinen Stundenplan maßlos durcheinanderbrachte.

Ein Professor beschloss, er wolle nicht das ganze Semester unterrichten. Er verdoppelte die Anzahl der Wochenstunden für die Vorlesungen und hörte mittendrin auf. Das ist in Amerika undenkbar; dort werden die Seminarzeiten von einer zentralen Planungsstelle streng kontrolliert, ebenso wie die Abschlussprüfungen, die auf die Minute genau ein Jahr im Voraus geplant werden. Die Zeugnisse müssen die Professoren drei Tage nach Semesterende liefern. Ich bekam meinen Schein für ein Seminar, das im Januar endete, im Juni des folgenden Jahres.

Es versteht sich wohl von selbst, dass ich von der deutschen Uni nicht sonderlich beeindruckt war und eine Diplomarbeit erfand, um als Student in Deutschland bleiben und sechs weitere Monate bei einer Firma, für die ich gern arbeitete, und in einer Stadt, die ich liebte, genießen zu können.

Mitarbeiter in Deutschland

Nach meinem Collegeabschluss zog ich nach South Carolina, wo ich einen Job bei einer ziemlich großen deutschen Firma bekam. Ich hatte den Plan, dort ein Jahr und dann zwei Jahre zwecks Indoktrination in Deutschland zu arbeiten. Das machte ich, und es gefiel mir nicht wirklich:

Also kündigte ich meinen Job nach drei Jahren und setzte anschließend meinen lebenslangen Traum um, einen Blog über Deutschland einzurichten. Ich setzte www. nothingforungood.com in die Welt und kann nun mein Expertenwissen mit der ganzen Welt diskutieren. Der Hauptteil der Arbeit besteht darin, Suchmaschinenfragen zu beantworten.

VI

UNBEANTWORTETE GOOGLE-FRAGEN

Suchmaschinen wie Google verweisen Leute mit Fragen zu Deutschland oder deutsch-amerikanischen Beziehungen auf meine Website, und ich fühle mich verpflichtet, zu antworten. Da von diesem Wissen jeder profitieren kann, möchte ich diese Fragen niemandem vorenthalten.

◆ ◆ ◆

Warum denkt Google, dass ich deutsch spreche?
Bessere Frage: Warum denkt Google, dass ich eine Antwort auf seine Gedanken habe?

germany blogs get a job
Sorry, ich weiß nicht genau, ob Sie nach einem Rat fragen, wie man in Deutschland eine Stelle bekommt, oder ob Sie mir sagen wollen, ich solle mit dem Schreiben aufhören.

Deutsche Sprache, schwere Sprache – and easy going English

Finden Sie, dass die Deutschen besseres Englisch sprechen als andere?
Abgesehen davon, dass sie immer *as* und *when* verwechseln, sprechen die Deutschen besser Englisch als alle anderen Länder, abgesehen von den skandinavischen Ländern und Kanada.

Typische Kennzeichen von englisch sprechenden Deutschen
Sie nehmen häufig Wörter, die eigentlich ganz in Ordnung sind, wie *post*, und hängen ein *ing* am Ende an, sodass albern klingende Wörter wie *postings* entstehen. Sie hängen ein *s* an Wörter, an die man normalerweise keins anhängt, wie *shrimps* und *trainings*. Sie lassen häufig den Artikel weg, wo wir einen benutzen, z.B. *I am plumber* statt *I am a plumber*.

reasons to learn german funny
Wow, jetzt bringen Sie mich aber in Verlegenheit; Sie wollen, dass ich Ihnen sage, warum Sie Deutsch lernen sollen, und dabei auch noch witzig bin. Nein. Ich lasse mich von Ihnen nicht zum Affen machen.

Englisches Wort für *Mett*

Fleisch, das zum rohen Verzehr bestimmt ist. Wir essen so etwas nicht, deshalb haben wir auch kein Wort dafür.

Können Deutsche das korrekte englische Perfekt lernen?

Ja, Deutsche können es lernen, aber nur nach vielen, vielen Jahren *immersion*[19]. Die englische Sprache ist extrem kompliziert mit ihren grammatikalischen Zeitabstufungen. Deutsche können das nicht im Klassenzimmer lernen, da die Unterschiede extrem fein und schwer zu erklären sind.

Deutsche Übersetzung von *If I don't tell you I love you, that doesn't mean I don't care!*

Er will Schluss machen.

proper english in using *yes* and *no*

Zu wissen, wann man *yes* und wann man *no* sagt, ist eine subtile Fähigkeit, die man erst nach Minuten intensiven Sprachtrainings erlangt. Lassen Sie uns üben. Wenn Sie etwas eher Affirmatives als Negatives sagen wollen, sagen Sie *yes*. Ansonsten sagen Sie *no*. Viel Glück!

Englisch Gewinner der Herzen

Das werden Sie nirgendwo finden, denn wir bleiben bei den guten alten Siegern und Verlierern. Sorry.

---

[19] Unterrichtsmethode, bei der ausschließlich die zu erlernende Sprache verwendet wird. d.Ü.

britisch akzent amerikanisch welchen lernen

Wenn Sie es schaffen, lernen Sie einen irischen Akzent. Das ist wirklich der coolste Akzent von allen englischsprachigen Ländern. Es klingt aber wahrscheinlich nicht cool, irgendeinen Akzent nachzumachen.

Bereiche, in denen Englisch schwerer ist als Deutsch

Es gibt drei Bereiche, in denen Englisch schwieriger ist. Wir haben sehr subtile Konstruktionen, mit denen wir den zeitlichen Ablauf von Geschehnissen beschreiben, deren Verständnis lebenslange Übung erfordert. Wir erfinden für alles neue Wörter, statt einfach alte zusammenzusetzen. Und wir schreiben Wörter nicht so, wie wir sie aussprechen.

Sollte mein Kind in der Schule Deutsch lernen?

Nein, Ihr Kind sollte Spanisch oder Chinesisch lernen.

Amerikanisch-deutsches Wörterbuch: *dude*

Sie waren so schlau, *Wörterbuch* als Schlüsselwort einzugeben, statt Google auf der Stelle nach einer Übersetzung zu fragen, also haben Sie wahrscheinlich eine Wortliste gefunden. Leider konnte das Wörterbuch Ihnen die Feinheiten des Wortgebrauchs nicht so erklären, wie ich das mache, denn ich biete vollen Service, nicht eine halbherzige Bemühung wie ein Wörterbuch. Es gibt im Deutschen drei gute Wörter, die dem englischen *dude* in etwa entsprechen, aber in zwei verschiedenen Kontexten. Nummer 1 & 2 benutzt man, wenn man von einem Mann spricht, nämlich *Typ* oder *Kerl.* Als Begrüßung dienen die beiden im Gegensatz zu *dude* aber nicht, in diesem Fall gebraucht man das Wort *Alter*.

english speaker ability learn german quick

Stimmt nicht.

Wie lange braucht man, um Deutsch zu lernen?

Das kommt drauf an. 48 Stunden, wenn Sie den teuren Audiokurs kaufen, vier Jahre, wenn Sie es auf dem College lernen, 1,357 Jahre, wenn Sie zwecks *immersion* in ein deutschsprachiges Land ziehen.

Was heißt *convenient* auf Deutsch?

Die Deutschen haben dafür keine Übersetzung, so wie wir keine für *Schadenfreude* haben.

Witzige Fehler, die Deutsche beim Englischlernen machen

Meine Freundin liest tonnenweise englische Bücher, hat also sehr viel mehr englische Wörter gelesen als gehört. Deswegen ist es meist sehr komisch, wenn sie Wörter ausspricht, die sie nur gedruckt kennt. Meine Freunde waren sehr schockiert, als sie vom letzten *dickhead* (= Schwachkopf) sprach, als sie das *letzte Jahrzehnt* (= decade) meinte.

english meaning: *kuckmal*

Look, look, look!
Das Wort wird eigentlich *gucken* geschrieben und ist eins der wenigen Wörter, die man nicht in der Schule lernt und das nicht so geschrieben wird, wie man es spricht.

Was heißt *pizza* auf Deutsch?

Pizza. Aber sprechen Sie es mit kurzem *i* wie in *pickle*, nicht mit langem wie *pea*.

Wenn ich Deutsch lerne, werde ich es jemals anwenden?

Nein.

translate *versuche es!!! es wird schwer werden* into english

Try it out, it's going to be tough. Hier eine kleine Warnung: Die Deutschen neigen zu Untertreibungen – was immer Sie also versuchen wollen, es könnte sehr, sehr schwer werden.

***ser gut ya* translate**

Nice, eh?

seltsame deutsche Ausdrücke

Ich glaub', mein Schwein pfeift. (= I think my pig whistles.)
Es geht um die Wurst. (= It's about the sausage.)
Das ist mir wurscht. (= It's sausage to me.)
Alles hat ein Ende, nur die Wurst hat zwei. (= Everything has an end, only the sausage has two.)
Er hat Schwein gehabt. (= He had pig.)
Sei doch keine beleidigte Leberwurst. (= Don't be an insulted liver sausage.)

Ist es eine gute Idee, Deutsch und Spanisch gleichzeitig zu lernen?

Nein. Sie werden eine Zeitlang Deutsch und Spanisch irgendwie durcheinanderbringen, weil Ihr Gehirn alle Fremdsprachen zusammen speichert. Es wird mit der Zeit besser. Aber es ist sowieso keine gute Idee, Deutsch zu lernen.

Kids lernen Deutsch wegen Tokio Hotel
ROFL![20]

my name is and i am trying to learn german in german
Mein Name ist, und ich versuche, in Deutschland Deutsch zu lernen.

Mahlzeit Antwort
Mahlzeit, selber.

Soll man Englisch oder Deutsch lernen?
Englisch.

Ich bin nicht gemeint. ich mag dich einfach nicht!!! übersetzen
Ich möchte nicht unhöflich sein, aber Sie sind gerade von jemandem beschimpft worden, der nicht mal seine eigene Sprache richtig schreiben kann.

Übersetzung von *Der hat ja einen Knall* ins Englische
He's off his rocker.

Who can ich deutsch lehrnen?
Sie würden bessere Resultate erzielen, wenn Sie in einer Sprache zu fragen versuchten, in der Sie die Wörter richtig schreiben können. Ich weiß nicht genau, ob Sie fragen,

---

[20] Das bedeutet *Roll on floor laughing* (= Wälze mich vor Lachen am Boden). d.Ü.

wem Sie Deutsch beibringen können, wo Sie Deutsch lernen können oder irgendeine seltsame Kombination aus beidem?!

Englische Wörter, deren Aussprache Deutschen schwerfällt

Deutsche können das Wort *months* (= Monate) nicht aussprechen.

Wird die deutsche Sprache ein Comeback erleben?

Nein. Das Deutsche wird vom Englischen und Türkischen verdrängt. Die Deutschen machen nicht genügend Babys für ein Comeback.

adjektivendungen im nominative und akkusativ ohne artikel

Yeah, ganz meine Meinung. Wie alles Deutsche ist die deutsche Sprache zu kompliziert.

if you won't i gived auf deutsch

Ich weiß nicht einmal, was Sie auf Englisch zu sagen versuchen.

does and donts rechtschreibung

Do's and dont's. Ja, wir stehen ziemlich auf *Deppenapostroph*.

Rechtschreibung Blog

Wow, da würde ich lieber einen Blog über irgendein Kätzchen lesen.

saying thanks in german + pronounce
Ich bedanke mich bei Ihnen recht herzlich. (Ick Be-donk-a mick by eenan reckt herts-lick.)
Oder:
Danke. (Donk-a.)

how many time does it need to learn german?
Glauben Sie denn, Sie seien mit dem Englischlernen schon fertig?

Wie entwickelt man seine Muttersprache im Ausland weiter?
Nehmen Sie sich ein Beispiel an den Engländern; sie waren am besten darin, im Ausland ihre Muttersprache weiterzuentwickeln.

moin moin was geht
Alles klar bei dir?

paplik was ist das
Das frage ich mich auch. So sagen die Leute *public* im Fernsehen ... Vermutlich meinen die *öffentlich*, wie *öffentliche Übertragung.*

congratulation, i hate you übersetzung
Glückwunsch, ich hasse dich.

german word ach so
Im Grunde ein verbaler Hinweis, dass einem Deutschen gerade eine Glühbirne im Kopf angegangen ist. Wie *ok, I got it now* oder *gotcha.*

Wenn die Deutschen *until* sagen, was meinen sie damit?

Das ist tatsächlich eine großartige Frage. Wenn Deutsche *until* sagen und Sie verwirrt sind, liegt das daran, dass sie wahrscheinlich *by* meinen. Präpositionen in Sprachen sind wirklich eine schwere Sache, weil sie in einem Kontext eine bestimmte Übersetzung haben, in einem anderen Kontext aber eine ganz andere. Die direkteste Übersetzung für das deutsche Wort *bis* ist *until*, aber wenn es sich auf einen Termin bezieht, sollte man es mit *by* übersetzen. Jeder Deutsche wird das bis zu seinem Tod falsch machen. Sie werden immer *until* statt *by* sagen, wenn sie davon sprechen, wann sie etwas machen werden oder bis wann etwas geschehen soll.

Welche Europäer sind am schlechtesten darin, Englisch zu lernen?

Die Italiener.

why u just leave me auf deutsch

Ich weigere mich, Fragen von Leuten zu beantworten, die *u* statt *you* schreiben. Kommen Sie, es sind nur drei Buchstaben!

dont be angrey auf deutsch

Mensch, ärger dich nicht!

ihr deutsch ist sehr gut, wo haben sie lernen, sprechen es so gut?

Glauben Sie mir, es ist nicht so gut, wie Sie glauben.

Jeder Gang macht schlank means

... dass unsere Drive-Through-Supermärkte keine Hilfe sind!

Mein Mann will kein Deutsch lernen.

Spricht für ihn. Es gibt Millionen von nützlichen Dingen, die er machen könnte. Außerdem haben Sie ihn geheiratet, weil er exotisch ist. Wenn er Deutsch lernt, werden Sie nur anfangen, ihn für dumm zu halten, weil er Sachen nicht korrekt aussprechen kann. Lassen Sie ihn in Ruhe.

Body Bags – Füße oder Kopf voran?

Wow.

Übersetzung *potty mouth*

Es gibt keine wirklich gute Übersetzung, aber es ist ein Ausdruck, der von oder gegenüber Kindern gebraucht wird, um jemanden zu bezeichnen, der unangemessene Wörter verwendet. *Dreckiges Mundwerk* oder *Schandmaul* gehen in die richtige Richtung, gehen aber viel zu weit. Wörtlich übersetzt hieße es *Klomund*.

Menschen, die nicht richtig deutsch sprechen

Das engt das Feld nicht sonderlich ein, vor allem, wenn man sich Bastian Sick anhört.

i used to care but now i take a pill for it Übersetzung

Ich habe nun ein besseres Leben durch Chemie.

Lernen Amerikaner Deutsch?

Ja, aber wir vergessen es schnell wieder.

Deutsch wird neben Spanisch, Französisch, Russisch und Latein an den meisten Highschools und Universitäten gelehrt. Deutschkurse für Fortgeschrittene haben aber selbst an den größten Schulen nur eine Handvoll Schüler. Viele Amerikaner beginnen, Deutsch zu lernen, aber nur wenige bleiben so lange dabei, dass sie vollständige Sätze bilden können. Uns gefällt die Idee, diese Sprache zu lernen, und sie steht hoch oben auf den Prioritätenlisten all der Dinge, die wir gerne wirklich machen wollen würden.

Klingt es komisch, wenn Amerikaner deutsch sprechen?
Ja.

check yes or no deutsche Übersetzung
Kreuze an: ja, nein – und vielleicht. Deutsche Kinder haben immer die Möglichkeit, *vielleicht* zu sagen, während amerikanische Kids gleich lernen, aus der Hüfte zu schießen.

Wie sagt man auf Spanisch *Wann soll das fertig sein*?
Es spielt keine Rolle, wann es fertig sein soll, fertig wird es auf jeden Fall *mañana*.

Wie lange dauert es, Deutsch zu lernen, wenn ich Russisch kann?
Sie *können* Russisch? Ich wette, Deutsch zu *können* wird ungefähr so lange dauern, wie Russisch können zu lernen.

naja amerikaner halt meaning
Ihr deutscher Freund ist mal wieder nicht von Ihnen beeindruckt.

Deutsche Übersetzung für *pain in the ass*
Nervensäge.

**Warum spricht man *durch* so aus, wie man es aus-
spricht?**
Diese Frage würdige ich keiner Antwort.

***I would like to buy some leather pants bitte* ins Deut-
sche übersetzen**
Stopp. Überlegen Sie sich lange und genau, was Sie da
verlangen.

***tropfen hoelt den Stein* english**
Chinesische Wasserfolter ist effektiv.

***million* Übersetzung deutsch amerikanisch**
Wir verwenden *million* wie jeder andere auch. Schwierig
wird es erst bei tausend Millionen, was wir Amerikaner
eine *billion* nennen, während der Rest der Welt das Wort
billion für eine Million Millionen reserviert. Schon wieder
ein Beispiel, dass der gesamte Rest der Welt es falsch
macht.

**Ist es möglich, als Erwachsener Deutsch zu ler-
nen?**
Nein.

Sind deutsche Straßenschilder auf Englisch?

Oh boy. Sie sind wahrscheinlich einer von diesen Leuten, die das *Ausfahrt*-Schild sehen und das wahnsinnig komisch finden. Nein. Deutsche Werbung ist auf Englisch, aber die Straßenschilder sind meist Bilder mit dem einen oder anderen deutschen Wort.

glasgow kiss Übersetzung

Das ist ein Kopfstoß. Glasgow ist keine besonders nette Stadt. Und die Menschen aus Glasgow sind keine besonders netten Menschen.

one of those deutscher Ausdruck eine davon

Sie haben Ihre Frage selbst beantwortet?

Deutsch spelling of *machen*

Korrekt.

you know what i think love is just a game seriously love is a game was bedeutet das auf deutsch

Ich glaube, Sie verstehen nicht, wie Google funktioniert, aber heute ist Ihr Glückstag, denn ich bin da, um Ihnen zu helfen. Jemand hat schlechte Erfahrungen in einer Beziehung gemacht und tut so, als würde er alle Hoffnung auf wahre Liebe aufgeben. Eigentlich wünscht er sich aber, dass Sie darauf anspringen und ihn überzeugen, die einzig Richtige für ihn zu sein und ihm beweisen können, dass Liebe nicht nur ein Spiel ist.

Ach so, Sie wollten das auf Deutsch. Weißt du, was ich denke? Die Liebe ist nur ein Spiel. Echt hey, Liebe ist ein Spiel. Bitteschön.

Ein schöneres Wort für Schuppen
Hmmm … wie wäre es mit *Kopfhautflocken*. Nein, Moment, das klingt ja noch schlimmer.

Bommerlunder, was heißt das?
Ich bin nicht sicher, ob ich so genau weiß, was das heißt, aber immer, wenn ich eine Gruppe junger Männer das singen höre, weiß ich, es ist Zeit, nach Hause zu gehen.

Österreichischer Akzent im Englischen + sexy
Das hätten Sie wohl gern.

Deutsche Stellung von *nicht*
So ziemlich überall im Satz. Toben Sie sich ruhig aus.

grammar *um zu* in englisch *to* or *for*
Yeah, Sie können beides verwenden.

How to pronounce *Ich hasse dich*
Das ist aber nicht nett. Trotzdem: *ick hoss-a dick*.

how to spell american in feminine tense german
US-Amerikanerin.

Amerikaner, Deutsche und der Rest der Welt

Wie viele Schritte geht der Amerikaner durchschnittlich pro Tag?

Ich glaube, in dem Film *Supersize Me* hieß es, der Durchschnittsamerikaner gehe etwa eine Fünftelmeile am Tag, was etwa tausend Fuß entspricht. Sagen wir, ein durchschnittlicher Schritt bringt uns zwei Fuß voran, dann kommt man auf ungefähr fünfhundert Schritte am Tag. Das kann nicht stimmen. Vielleicht kann das jemand anders beantworten.

Womit amüsieren sich deutsche Kinder?

Darüber zu reden, wie dumm die Amerikaner sind.

Womit amüsieren sich die Deutschen?

Jammern.

Americans don't do well in europe

Von den sechs Wörtern, die Sie getippt haben, sind zwei *do* und eins *in*, zwei der wenigen Schlüsselwörter, die Google tatsächlich ignoriert. Deshalb bin ich nicht sicher, bei welcher Tätigkeit die Amerikaner in Deutschland schlecht sind, aber da Ihre Suchanfrage aus Amerika kam, kann man wohl annehmen, dass Sie meinten *Americans don't do well at googling in Europe*?! Ich bin mir ziemlich sicher, dass Sie nur ein Schlüsselwort von dem entfernt sind, was Sie wirklich suchen.

warum deutschen zählen andersrum
Weil sie eben alles falsch machen.

Welches europäische Land hat den besten Musikgeschmack?
Irland.

Wie kommen Amerikaner in Österreich zurecht?
Fragen Sie einfach als Erstes einen Einheimischen, wo der nächste *Heurige* ist.

Die typischen deutschen Lederhosen warum?
Wie Yoda immer sagt: »Wut schafft Hass. Hass schafft Leiden.«

Was machen deutsche Kinder?
Essen, trinken, Aa, weinen und dergleichen Grundlegendes.

Unrasierte Achselhöhlen europäischer Frauen
Das ist eins dieser alten Klischees, die kaum noch zutreffen. Während gewisse Öko-Mädels naturbelassene Achselhöhlen zur Schau tragen, rasieren sich die meisten europäischen Frauen heute unter den Armen. Sogar viele junge deutsche Männer rasieren sich die Achselhöhlen – und nicht nur Schwimmer.

Rammstein *können nicht singen*

Aber sie können unglaublich gut brüllen.

Welchen Nutzen bringt es den Deutschen, hohe Steuern zu zahlen?

Ein reines Gewissen, wenn man Bettlern auf der Straße kein Geld gibt.

Woran glauben die Deutschen?

Dass man die Dinge durch kompliziertere Regeln besser machen kann.

Warum trinken die Deutschen kohlensäurehaltiges Wasser?

Weil die Deutschen alles falsch machen, wie bereits gesagt.

Deutsche Begrüßung zur Mittagszeit

Mahlzeit!

does people from all over the world attend the oktoberfest?

Yes they does.

Wie schreiben die Deutschen Zahlen?

Meistens genau wie wir, mit zwei bemerkenswerten Ausnahmen: Die Deutschen schreiben ihre Eins in einer bescheuerten Zeltform, sodass sie schwer von einer Sieben zu unterscheiden ist. Deshalb ziehen sie einen waagerechten Strich durch die Sieben.

Warum ist in amerikanischen Toiletten so viel Wasser?
Weil sie groß sind.

Was mögen die Deutschen an Deutschland nicht?
Den Verkehr und das Wetter.

Oktoberfest Stuttgart 2008
Ihr schwäbischer Freund hat Sie angelogen: **Es gibt in Stuttgart kein Oktoberfest**!

Wie die Deutschen Liebe machen
Fast genauso wie wir, mit der einzigen Ausnahme, dass sie erst die Stereoanlage einstöpseln müssen.

bar debit card germany
Die deutsche Variante einer *debit card* heißt EC-Karte. Aber Sie werden sie wohl kaum in einer Bar benutzen. Nehmen Sie einfach Bargeld mit.

Wie macht man einen deutschen Ehemann glücklich?
Schnittchen.

Was tun die Deutschen, um Energie zu sparen?
Zu Fuß gehen, Fahrrad fahren, keine Klimaanlage haben oder zumindest die Raumtemperatur im Sommer warm und im Winter kalt halten (statt umgekehrt wie wir Amerikaner), öffentliche Verkehrsmittel benutzen, Benzin tonnenweise besteuern, Elektrogeräte ausstöpseln, wenn man sie nicht benutzt, um den Stromverbrauch im Stand-

by-Modus zu vermeiden. Dasselbe, was sie schon seit Jahren machen.

Toilettenpapier wegspülen in Deutschland

Ich habe Gerüchte gehört, dass man in Brasilien das Toilettenpapier nicht wegspült, sondern in einem Abfalleimer sammelt, der jeden Tag geleert werden muss. Aber in Deutschland dürfen Sie ungehemmt spülen.

Dazu passt Folgendes: Wissenschaftliche Forschungen haben erwiesen, dass die Deutschen ihr Toilettenpapier vor dem Wischen zusammenfalten und die Amerikaner ihres zusammenknüllen. Versuchen Sie das mal zu googeln!

Was tragen die Deutschen im Sommer?

Lange Hosen und Jacketts.

Warum mögen die Deutschen Hasselhoff?

Warum sollten sie nicht?

Was mögen deutsche Männer an amerikanischen Frauen?

Deutsche Männer wissen, dass alle deutschen Frauen Probleme mit *Kreislaufstörung* haben und nehmen an, amerikanische Frauen hätten keine und deshalb weniger häufig Kopfschmerzen. Oh, und ihre Augen.

Hassen die Deutschen die Iren?

Nein.

Frauen stehpinkeln

Geht das überhaupt? Tut mir leid, aber zu diesem Thema habe ich keine Informationen zu bieten.

Zeichen, dass Deutsche Sie mögen

Sie sagen mindestens ein Wort mehr zu Ihnen, als sie absolut sagen müssten.

Welche amerikanischen Produkte mögen deutsche Teenager?

Clearasil.

Was denken die Deutschen von ihrem Gesundheitswesen?

Abgesehen davon, dass es viel zu teuer ist, ist es ziemlich gut. Die zehn Euro pro Arztbesuch sind einfach zu viel. – Endlich fragt mal jemand, statt einfach anzunehmen, dass sie es hassen.

Was die Amerikaner über Europa denken

Wir denken, dass ihr Europäer Sozialisten seid, die sechs Wochen Urlaub machen und nur fünfunddreißig Stunden in der Woche arbeiten und wegen des sozialistischen Gesundheitssystems Monate auf einen Arzttermin warten müssen. Wir denken, dass ihr kleine Brötchen backt, wahrscheinlich Körpergeruch habt und euch nicht die Achselhöhlen rasiert. Wir denken, dass ihr es wahrscheinlich nicht zugeben wollt, aber neidisch auf die Amerikaner seid und gern in diese USA emigrieren würdet, wenn ihr könntet. Der Beweis dafür ist, dass ihr unsere Musik hört, unsere Fernsehsendungen guckt, in unsere Filme geht, in unseren Restaurants esst und mehr über unsere Politik wisst als wir.

Moment mal, Sie haben gefragt, was die Amerikaner über Europa denken, nicht über die Europäer. Wir denken, dass Europa alte Sachen hat, wie Schlösser und berühmte Kunst, und dass es ein cooler Ort ist, um dort Urlaub zu machen, weil man mit dem Zug fahren kann.

Was man die Deutschen fragt

Können Sie mal was auf Deutsch sagen?

Die Amerikaner wissen nichts über Deutschland.

Korrekt. Aber über eine Menge anderer Länder wissen wir auch nichts.

Woran merkt man, ob Deutsche einen mögen?

Sie werden es Ihnen sagen. Wenn sie Sie nicht mögen, werden sie Ihnen das ebenfalls sagen. Da Sie es nicht wissen, haben sie Ihnen weder das eine noch das andere gesagt, was bedeutet, dass sie Ihnen gleichgültig gegenüberstehen.

Was man wissen muss, bevor man nach Deutschland reist

Sie werden nicht so viel Spaß haben, wie Sie glauben. Sie werden wahrscheinlich mit einer Gruppe reisen, in der eine Person sich auf einer Mission befindet, im vorgegebenen Zeitraum jede mögliche Sehenswürdigkeit zu besuchen. Außerdem wird jemand dabei sein, der sich einfach nur entspannen und seinen Urlaub genießen will.

Der Konflikt zwischen diesen beiden Einstellungen wird Ihnen einigermaßen die Freude verderben.

Was die Deutschen wissen und die Amerikaner nicht

Selbst dreißig Tage Urlaub sind nicht genug.

Kommunikation mit Amerikanern

Das ist nicht allzu schwer. Versuchen Sie nur, sie hier und da mit Smalltalk und kleinen Witzen aufzuheitern. Es schreckt uns ein bisschen ab, wenn Sie direkt zur Sache kommen.

Warum mag ich den Deutschen nicht?

Ich weiß nicht genau, nach welchem Deutschen Sie fragen, aber wahrscheinlich liegt es daran, dass Sie *Counterstrike* spielen wollen, er aber immer nur *Mensch ärgere dich nicht*.

Wissen Sie, die Deutschen machen immer gute Sachen.

Na ja, ich würde nicht sagen, dass die Deutschen *immer* gute Sachen machen. Deutschland hat die No Angels gemacht, SAP und die GEZ.

Was denken die Deutschen von den Amerikanern?

Die Deutschen finden die Amerikaner fett, faul und oberflächlich. Außerdem halten sie uns für unzivilisiert, weil wir die Todesstrafe haben. Abgesehen von diesen vier Punkten gehen die Meinungen auseinander.

Ich habe einen Brief von der GEZ bekommen, was soll ich tun?

Ignorieren Sie ihn. Es wird Zeit, dass die Deutschen sich endlich wehren und sagen »Jetzt reicht's!«. Das GEZ-System ist albern! Stehen Sie auf und protestieren Sie! Damit sparen Sie ungefähr dreißig Dollar pro Monat.

Was ist die typisch deutsche Mentalität?

Ich habe eine Lösung für mein Problem, aber schauen wir mal, ob ich nicht eine kompliziertere finden kann.

Gründe, warum man keine Deutschen heiraten sollte

Das wollte ich gerade selbst googeln. Sorry, Bettina, aber ich muss mich nach allen Seiten absichern.

Warum hassen wir die Deutschen nicht so sehr wie die Franzosen?

Hmmm ... BMW oder Peugeot. Porsche oder Renault. Dumme Frage. Nächste, bitte.

Was denken die Deutschen über die USA?

Die Deutschen denken, dass die USA ein großartiges Urlaubsland waren, um die Weite der Landschaft auf sich wirken zu lassen, eindrucksvolle Nationalparks zu sehen, billige Klamotten zu kaufen, freundliche Leute kennenzulernen und auf der Route 66 zu fahren und so ein Gefühl für Freiheit im Sonnenschein zu bekommen. Heute denken sie, es könnte ein prima Zeitpunkt sein, in die USA zu reisen, weil der starke Euro alles so billig macht, wissen aber, dass unsere Regierung Reisen in die USA für

Ausländer zur Qual macht und jeder ohne US-Pass wie ein Terrorist behandelt wird. Also fahren sie lieber nach Griechenland.

Da haben wir wohl die Terroristen gewinnen lassen. Oops.

What thinks Americans about Germans??
Glauben Sie, Sie bekommen eine bessere Antwort, wenn Sie ein zweites Fragezeichen tippen?

Was die Amerikaner über die Deutschen nicht wissen
Sie stehlen Ihr Fahrrad, wenn Sie es draußen lassen – egal, wie schrottig es aussieht.

Was die Amerikaner an den Deutschen mögen
Dass sie im Allgemeinen vertrauenswürdig und zuverlässig und absolut tolle Freunde sind, wenn man sie erst kennenlernt.

Was können die Amerikaner durch das Kennenlernen anderer Kulturen über sich selbst erfahren?
Ich bin immer irgendwie von der Annahme ausgegangen, dass Amerikaner keine richtige Kultur haben, sondern dass wir einfach Stückchen von anderen, richtigen Kulturen angenommen haben. Durch das Kennenlernen anderer Lebensweisen habe ich erfahren, dass Amerika tatsächlich eine extrem gut definierte und einzigartige Kultur besitzt, die global gesehen im Grunde ziemlich seltsam ist, außer man vergleicht sie mit der japanischen. Diese Typen sind nun wirklich seltsam.

Was lieben die Deutschen?
Sich wie wild abzuhetzen und alles zu erledigen, um sich dann entspannen zu können.

Was wollen die Deutschen, das die Amerikaner haben?
Sonnenschein.

Sind die Amerikaner das dümmste Volk der westlichen Welt?
Nein.

Wie viel wissen Amerikaner über andere Länder?
Nichts.

All you can eat and drink

Wie viele Mahlzeiten essen die Deutschen?
Im Durchschnitt etwa 87.600.

Essen die Deutschen mit Messer und Gabel?
(Wohlgemerkt: Diese Frage kam aus Kanada.)
Ja, die meisten Deutschen essen mit Messer und Gabel,
aber in Bayern benutzen sie nur Finger und Messer.

Root beer in deutschen Läden
Alright, darüber müssen Sie hinwegkommen. Sie leben
offensichtlich in Deutschland, wollen aber die Sachen, die
Sie aus Amerika kennen. Lassen Sie das. Sie werden Ihre
Zeit in Deutschland niemals genießen, wenn Sie ständig
versuchen, aus einem Land etwas zu machen, was es nicht
ist. *Root beer* ist herrlich, ebenso Tonnen deutscher Sachen, die Sie stattdessen genießen könnten. Trinken Sie
Spezi und probieren Sie all die interessanten Sachen, die
es dort gibt.

Bananenweizen ekelhaft
Korrekt. Es ist widerlich.

USA Auswanderer Schokolade

Das könnte etwas Tolles werden. Ich wünschte, einer der deutschen Fernsehsender würde auf die Idee kommen, die *Auswanderer* und *Das perfekte Dinner* zu einer Art Wettbewerb zu kombinieren, bei dem arbeitslose Bäcker irgendwo in Texas einen Wettstreit austragen, wessen Bäckerei die erfolgreichste ist. Dasselbe könnte auch mit Schokolade gehen.

Habe Cola light mit Datum Nov 08 ist das okay zum Trinken?

Google ist eine wunderbare Sache, aber so mächtig doch wieder nicht. Egal, in Cola light ist nichts so Natürliches enthalten, dass es schlecht werden könnte. Also ran und runter damit!

Warum essen die Deutschen Brot zum Frühstück?

Glauben Sie, jemand hat sich die Zeit genommen, eine Website einzurichten, nur um zu erklären, warum in einer Kultur Brot zum Frühstück gegessen wird? Ich weiß es nicht. Vielleicht liegt es daran, dass es total lecker ist, frisch gebackene Brötchen mit köstlichem Aufschnitt darauf zu essen. Genießen Sie einfach und zerbrechen Sie sich nicht länger den Kopf über den Grund.

Wie schmecken Deutsche?

So ähnlich wie Hühnchen, nehme ich an.

Wie macht man in den USA eine Radlermaß?

Die meisten Barkeeper werden Sie komisch angucken, aber Sie können natürlich ein Budweiser, eine Sprite und ein leeres Glas bestellen und sie dann selbst mixen. Geht am besten, wenn man zu zweit ist. Etwa jedes zweite Mal wird man Ihnen statt Sprite Sierra Mist geben, was zwar nicht perfekt, aber ein akzeptabler Ersatz ist.

Rezept für Käsebrot
Man nehme eine Scheibe Brot und eine Scheibe Käse, und – nun der verwirrende Teil – man streiche eine dünne Schicht Butter zwischen diese beiden.

Was denken die Deutschen über Pizza?
Dass sie Sachen wie Fisch und Mais drauf tun sollten.

Was gibt es in Deutschland für Nahrungsmittel, die es in den USA nicht gibt?
Quark und Knoppers.

Ersetzt Bier eine Mahlzeit?
Nein. Sieben Bier ersetzen eine Mahlzeit.

Können Amerikaner in Dresden, Germany, gefahrlos Leitungswasser trinken?
Ja. Aber Sie müssen sich haltbare Lebensmittel mitbringen, denn das Essen können Amerikaner nicht gefahrlos genießen.

Subway food strategy
Ich weiß nicht, ob Sie die Fast-Food-Kette meinen oder das Massenverkehrsmittel U-Bahn.
Falls Sie die Kette meinen: Meine Strategie ist die, das Cold-Cut-Trio zu kaufen – das ist das billigste Sandwich –,

dazu sämtliche Beilagen, die es umsonst gibt, zu bestellen und es dann mit Essig und Öl zu würzen. Dazu einen dieser Cookies mit weißer Schokolade und Macadamia-Nüssen. Aber vielleicht sehen Sie das anders.

Was das öffentliche Verkehrsmittel angeht: Ich suche mir meist eine Bäckerei an einer der Stationen, wo ich umsteigen muss, und besorge mir ein bis zwei Butterbrezeln. Fünf Minuten Umsteigezeit reichen in der Regel völlig, um seinen Einkauf zu tätigen und rechtzeitig zurück zu sein, um den Aussteigenden im Weg zu stehen, damit man auf jeden Fall als Erster zwischen den freien Plätzen wählen und in Ruhe sein Frühstück genießen kann. Ich glaube, das ist eine Strategie, mit der jeder zurechtkommt.

Öffnen Pet-Verschluss
Drehen.

Die Deutschen beten vor dem Essen.
Ich habe das nie gesehen. Meistens sagen sie einfach *Guten Appetit* oder *Guten Hunger* oder etwas in dieser Richtung.

Deutsche Küche für Kinder
Alles von Haribo geht gut.

Ich esse nur eine Mahlzeit pro Tag.
Das ist nicht gesund. Drei Mahlzeiten plus zwei kleine Imbisse über den Tag verteilt wären besser.

Essen die Deutschen Mais?
Ja.

Döner Kebab + Amerika

Ich habe noch nie einen Döner in Amerika gesehen, habe aber gehört, dass es sie in Neuengland gibt. Nebenbei bemerkt sind Döner in Großbritannien oder Irland nicht annähernd so gut wie Döner in Deutschland. Irgendetwas ist los mit dem Essen, dass es bei der Zubereitung nördlich des Ärmelkanals automatisch bestenfalls mittelmäßig ausfällt. Es sei denn, es wäre indisches.

Pudding mit Pizzageschmack

Was ist bloß mit euch los?

Deutsche Süßigkeiten, die Amerikaner mögen

Buchstäblich alles außer diesen schokoladenüberzogenen Bananendingern. Würg.

Welche Lebensmittel vermissen Amerikaner?

Erdnussbutter wahrscheinlich am meisten. In Deutschland bekommt man scheußliche Erdnussbutter zu einem sehr hohen Preis. An zweiter Stelle steht wohl EZ-Cheese. In Deutschland herrscht definitiv Knappheit an Sprühdosenkäseoptionen.

Die Kellnerin hat die Trinkgeldsumme auf der Kreditkartenquittung geändert.

Tut mir leid, das zu hören.

Ist *root beer* deutsch?

Nein, *root beer* wurde, wie alle anderen guten Sachen, von den Amerikanern erfunden.

Was man in Deutschland essen muss

Sie müssen Obst essen, damit Sie keinen Kaliummangel oder Skorbut bekommen.

Warum mögen die Deutschen keine Sandwiches?

Haben Sie jemals versucht, mit deutschem Brot ein Sandwich zu machen? Das funktioniert wirklich nicht gut, weil das Brot viel zu herzhaft ist und jeden Bissen übertönt. Bei der offenen Variante hat man nur halb so viel Brot, und das Verhältnis von Brot zu leckerem Belag ist sehr viel besser.

Aber meine Theorie ist, dass die Deutschen ein gutes Sandwich lieben würden, wenn sie lernen könnten, ihr Brot etwas leichter zu machen – vielleicht indem sie mehr Hefe zugeben und es mehr aufgehen lassen? Keine Ahnung, ich finde jedenfalls, deutsches Brot ist köstlich, und es lohnt sich, dafür auf Sandwiches zu verzichten.

Wo kann ich Cola-Weizen kaufen?

Die erste Antwort lautet: Tun Sie es nicht, denn es ist widerlich. Die zweite Antwort lautet: Überall, wo es Cola und Weizen gibt.

Ich fleißig, du arbeiten

Wie schwer ist es für Amerikaner, in Deutschland zu arbeiten?

Es kann sogar ziemlich schwer sein. Zunächst einmal müssen Sie irgendwie zur Arbeit kommen, entweder mit irgendwelchen öffentlichen Verkehrsmitteln – was stressig sein kann – oder mit dem Auto – was in einer Großstadt oft sogar noch schlimmer ist, von den hohen Benzinpreisen ganz zu schweigen.

Wenn Sie es endlich geschafft haben, werden Sie von köstlichem Kaffee und Bier aus Automaten abgelenkt.

Falls die Sonne scheint, werden Sie Ihre gesamte Zeit darauf verschwenden, Ihren Mut zusammenzunehmen und alle anderen zu fragen, ob Sie sich den Nachmittag frei nehmen und ihn im Biergarten verbringen sollen.

Auf Ihrer Tastatur werden *Y* und *Z* vertauscht sein, sodass Sie Schwierigkeiten beim Tippen haben.

Oft gibt es keine Klimaanlage.

Außerdem sprechen sie eine fremde Sprache, die nicht so einfach zu lernen ist – es sei denn, Sie kaufen sich einen dieser Kurse, die es Ihnen in vierundzwanzig Stunden beibringen.

Arbeiten die Deutschen samstags?

Nein. Samstags waschen die Deutschen ihr Auto.

Muss man für *Consulting* in Deutschland Deutsch sprechen?

Nein, je weniger Deutsch Sie als *Consultant* sprechen, desto glaubwürdiger klingen Sie. Viel Glück.

Sind die Deutschen schwer arbeitende Menschen?

Die Deutschen sind wirklich schwer arbeitende Menschen. Zwar verbringen sie gar nicht so viel Zeit mit Arbeit, wenn man Feiertage und Urlaub abrechnet, aber sie sind eins der motiviertesten Völker der Welt. Wenn Sie all die Verlockungen in Deutschland bedenken, *nicht* zu arbeiten, begreifen Sie, wie hart arbeitend die Deutschen von Natur aus sind.

What are the chances to get a job in germany without speaking deutsch?

Sie haben bereits den ersten Schritt getan und gelernt, wie man *deutsch* auf Deutsch sagt, also sind Sie bestimmt auf dem richtigen Weg, um einen Job in Deutschland zu bekommen. Aber wie stehen die Chancen, dass eine Website mitten im Satz die Sprache wechselt wie in Ihrer Frage? Denken Sie nach, bevor Sie tippen!

Ich hasse es, für deutsche Firmen zu arbeiten.

Ich kann Ihnen versichern, dass es manche gibt, für die man gerne arbeitet. Ich beispielsweise hasse es nur, für eine bestimmte deutsche Firma zu arbeiten.

can i get a job in america with only an ausbildung

Absolut. Sie könnten allerdings überqualifiziert sein. Sie werden sich ärgern, wenn Ihre neuen Kollegen nach nur einem Nachmittag Einweisung denselben Job wie Sie machen, nachdem Sie drei Jahre gebraucht haben, um Ihr Handwerk zu beherrschen.

Wo war das noch mal?

Wo liegt der LIDL-Laden in Bayern?

Die erste rechts von der Einbahnstraße ab, dann direkt hinter dem HL-Markt.

Entfernung zwischen Borussia Mönchengladbach und München

Na ja, das eine ist eine Fußballmannschaft und das andere eine Stadt ... Aber sagen wir, die Fußballmannschaft hat ein Heimspiel, dann sind es 198 Meilen (oder 641 Kilometer).

Ich liebe Bayern sehr.

Das ist okay. Das tun wir alle.

what is reberbahn in Hamburg?

Die Reeperbahn ist das Amüsierviertel in Hamburg, wo sich das Nachtleben abspielt. Sie können hingehen und eine Menge Neues erleben, zum Beispiel einen Fischmarkt, wenn Sie lange genug bleiben.

Wo kauft man in München eine Kuckucksuhr?[21]

Dafür müssen Sie in den Schwarzwald fahren, um alle Klischees zu bedienen. (Tipp: München liegt *nicht* im Schwarzwald.)

Wir kommen aus Bayern. Das liegt in der Nähe von Deutschland.

Hmmm. Yeah. Die meisten von uns Amerikanern werden nicht einmal merken, dass das Unsinn ist.

---

[21] In jedem Souvenirladen. In München und überall sonst. Die Ladenbesitzer haben sich gut eingedeckt. Es könnte ja ein Amerikaner vorbeikommen. d.Ü.

Deutschland, deine Straßen

Dürfen Sattelschlepper auf der Autobahn fahren?
Ja, und das ist einer der Gründe, warum das Fahren auf
der *Autobahn* so berauschend ist. Diese Biester haben
ein niedrigeres Tempolimit als der übrige Verkehr, das
heißt, Sie können an einem großen Lastwagen vorbei-
rauschen und gleichzeitig die Türen von einem schicken
Mercedes abrasiert bekommen. Meist stecken Sie aber
nur hinter einem fest, der 80 Stundenkilometer fährt und
den zu überholen versucht, der mit 79,9 Stundenkilometern unterwegs ist.

**Name einer Straße in Deutschland ohne Geschwin-
digkeitsbegrenzung?**
A7.

Fahren Deutsche Automatik-Autos?
Wenn sie es sich leisten können. Amerikaner fahren mit
Gangschaltung, wenn sie Spaß am Fahren haben wollen,
Deutsche fahren mit Gangschaltung, um Geld zu spa-
ren.

Grüne Welle Verkehr

Ich habe keine Ahnung, was Sie suchen, deshalb werde ich Ihnen einfach alles erzählen, was mir zur Grünen Welle einfällt.

Die Grüne Welle gibt es in Amerika nicht so häufig wie in Deutschland – wahrscheinlich, weil unsere Straßen in einem Raster angelegt sind, während deutsche Städte meist Hauptstraßen haben, wodurch eher absehbar ist, wohin die Leute fahren, und auf diesen größeren Straßen kann man die Ampeln so schalten, dass man – wenn man mit Höchstgeschwindigkeit fährt und nicht abbiegt – niemals Rot bekommt. Es ist beeindruckend, und ich wünschte, wir hätten das in Amerika.

In einer deutschen Stadt, in der ich gewohnt habe, gab es Ampeln, die einem sagten, wie schnell man fahren musste, um die nächste grüne Ampel zu erwischen, und wenn man sich danach richtete, sparte man eine Tonne Benzin und Frustration, weil man nicht ständig an den Ampeln auf der Hauptstraße halten und wieder anfahren musste. Ich wünschte, dass noch mehr Städte in Deutschland und den USA das übernehmen würden, denn es ist eine super Methode, um Benzin zu sparen.

Und zum guten Schluss

Kann jeder alles werden, was er werden will?

Nein, Arnold Schwarzenegger kann nicht Präsident werden, so sehr er das auch will. Ich kann nicht Cellist werden, weil ich tragischerweise ohne Rhythmusgefühl geboren wurde. Deshalb schlug mein Lehrer mir, während ich spielte, auf den Kopf, in der vergeblichen Hoffnung, ich könne den Beat durch das Trauma sanfter Gewalt irgendwie verinnerlichen. Und dabei sehen diese Typen von Apocalyptica so cool aus.

nordic walker chuck norris

Ich weiß nicht, was Sie suchen, aber jetzt habe ich ein lustiges Bild im Kopf. Danke.

Kann man von acht Aspirin sterben?

Ja, laut Wikipedia beträgt die tödliche Dosis für Aspirin hundertfünfzig Milligramm pro Kilogramm. Wenn Sie also weniger als siebzehn Kilogramm wiegen, beträgt die Wahrscheinlichkeit, nach der Einnahme von acht Aspirin zu sterben, zwei Prozent. Aspirin ist eindeutig nichts, mit dem man leichtsinnig umgehen sollte und das deswegen stets vom Arzt verschrieben werden sollte.

Wie vermeidet man Hass?

Wir alle müssen lernen, den Hass zu hassen.

Rothenburg ob der Tauber Germany Sweatshirts

Ich kenne Sie nicht, aber ich schäme mich für Sie.

Sind die Vorteile eines Auslandsstudiums all die Schwierigkeiten wert?

Die Leute werden Ihnen erzählen, wie wichtig es sei, einen Eindruck von der Welt zu gewinnen, denn das sei von Vorteil für die Weltwirtschaft und vermittle Ihnen unter Umständen sogar Einsichten in Ihre eigene Kultur. Hören Sie nicht auf diese Leute. Besorgen Sie sich einfach einen Job und seien Sie zufrieden mit dem Wissen, dass alles, was Sie für wahr halten, auch wahr ist. Alles andere ist ziemlich ungemütlich. Sie können genauso viel Geld verdienen ohne Auslandsstudium, also: Nein, es lohnt sich nicht.

Wiedereinbürgerungsmaschinen

Das wäre eine coole Erfindung. Sie würden aber definitiv irgendein internationales Patent brauchen. Könnte schwierig werden.

Man weiß, dass man schon zu lange in Deutschland ist, wenn

Wenn Sie Ihrem amerikanischen Freund, der zu Besuch kommt, sagen, dass Sie ihn an der *plane station*, am Flugbahnhof, abholen.

WAS IST GUT AN DEUTSCHLAND?

Ob Sie sich fragen, was Sie im Urlaub in Deutschland machen sollen, auf einer Geschäftsreise freie Zeit haben oder einfach eine umfassende Antwort auf die Frage suchen, was das Beste an Deutschland ist – dies ist die definitive Liste von Dingen, die wir Amerikaner an Deutschland lieben:

1. Hofbräuhaus
2. Neuschwanstein
3. Oktoberfest
4. Autobahn
5. Rothenburg ob der Tauber
6. Schwarzwälder Kuckucksuhren
7. Glockenspiel in München
8. Irish Pubs

*»Hallo. Ich brauche Waffen, Munition
und eine Bärenfalle.«*

Bündnis für
sicheres Reisen (Hg.)
AUSLÄNDISCH
FÜR NOTFÄLLE
Ein Sprachführer
für Paranoiker
Sachbuch
208 Seiten
zweifarbig illustriert
ISBN 978-3-404-66421-4

Vermutlich sind Sie bisher völlig unvorbereitet verreist. Sicher,
Sie haben ein Hotel gebucht und eventuell sogar die Reiseapo-
theke auf abgelaufene Haltbarkeitsdaten überprüft. Aber haben
Sie sich auch nur ein einziges Mal mit den alltäglichen Gefahren
Ihres Urlaubslandes beschäftigt? Wie reagieren Sie, wenn Sie in
Schweden von einem Elch verfolgt werden, in Süditalien ins
Fadenkreuz der Mafia geraten oder unter freiem Himmel eine
Notamputation vornehmen müssen?

Ausländisch für Notfälle zeigt klar und leicht verständlich, wie
Sie sich der jeweiligen Landesbevölkerung mitteilen, wenn es
brenzlig wird.

Bastei Lübbe Taschenbuch

Die beste Freundin in Buchform!

Bunty Cutler
DAS LIEBLINGSBUCH
ALLER FRAUEN
304 Seiten
Gebunden in Halbleinen
Mit zahlreichen Abbildungen
ISBN 978-3-7857-2369-2

Karriere, Kinder, Kopfschmerzen und das Kleine Schwarze? Das
Leben einer Frau von heute gleicht einem Hamsterrad, das von
innen mit Nägeln bestückt ist. In diesem Buch erfahren Sie, wie
Sie den ganzen Irrsinn doch irgendwie hinkriegen und in den
Pausen auch noch erfolgreich einen Makramee-Bikini zusam-
menknüpfen.

Voller witziger Ideen und praktischer Tipps!

Gustav Lübbe Verlag

Dieses Buch wird Sie weder reich noch schön machen – aber unwiderstehlich.

Tom Cutler
DAS LIEBLINGSBUCH ALLER
MÄNNER
Mit 80 Abbildungen
364 Seiten
Gebunden in Halbleinen
ISBN 978-3-7857-2345-6

Sind Sie zwischen 16 und 106 Jahre alt, männlich, hassen es, Ihre Steuererklärung zu machen und haben keine Ahnung, wie man sich seiner Unterhose entledigt, ohne seine Hose auszuziehen? Dann ist dieses Buch genau das Richtige für Sie. Denn hier erfahren Sie all die wirklich interessanten Dinge, die man Ihnen in der Schule nicht beigebracht hat:
- Wie wirken Sie intelligenter, als Sie sind?
- Wie übersteht man eine Woche mit nur einer Garnitur Kleidung?
- Wie beeindruckt man eine Frau, ohne Geld auszugeben?
- Wie schlägt man einen Nagel mit bloßen Händen in ein Brett?
- Wie wirft man stilecht ein Lasso?

Gustav Lübbe Verlag

Werden Sie Teil der Bastei Lübbe Familie

- Lernen Sie Autoren, Verlagsmitarbeiter und andere Leser/innen kennen
- Lesen, hören und rezensieren Sie unter www.lesejury.de Bücher und Hörbücher noch vor Erscheinen
- Nehmen Sie an exklusiven Verlosungen teil und gewinnen Sie Buchpakete, signierte Exemplare oder ein Meet & Greet mit unseren Autoren

Willkommen in unserer Welt:
www.lesejury.de